DANIEL CORIOLANO

INTELIGÊNCIA FINANCEIRA PARA MÉDICOS

DANIEL CORIOLANO

INTELIGÊNCIA FINANCEIRA PARA MÉDICOS

Um manual para você sair da emergência e conquistar sua independência

1ª EDIÇÃO

Editor-chefe:
Tomaz Adour

Revisão:
Equipe Vermelho Marinho

Editoração Eletrônica:
Equipe Vermelho Marinho

Ilustração de capa
Collen O'Deal

Ilustrações internas/gráficos:
Weffenson Basilio

Consultoria de Escrita Central de Escritores:
Rose Lira e Elisângela Alves de Alencar

Revisor técnico:
Alvino Coriolano Matos

Texto revisado segundo o novo Acordo Ortográfico da Língua Portuguesa.

Coriolano, Daniel
Inteligência Financeira para Médicos / Daniel Coriolano.
Rio de Janeiro: Vermelho Marinho, 2020.
230 p. 14 x 21cm
ISBN: 978-65-86082-08-1
1. Finanças Pessoais. 2. Investimentos. 3. Medicina 4. Título.
CDD 650

VERMELHO MARINHO
EDITORA VERMELHO MARINHO USINA DE LETRAS LTDA
Rio de Janeiro – Departamento Editorial:
Avenida Gilka Machado, 315 – bloco 2 – casa 6
Recreio dos Bandeirantes – Rio de Janeiro – RJ
CEP: 22795-570
www.editoravermelhomarinho.com.br

Ao colega médico e médica que pauta sua atuação na ética e compromisso com a saúde de cada pessoa que chega ao seu cuidado.

AGRADECIMENTOS

Agradeço aos meus avós e pais que enfrentaram e superaram as intempéries da vida e desencadearam as condições necessárias para o meu desenvolvimento.

Agora como pai de Dante, entendo com mais propriedade sobre a atenção e a dedicação que um filho requer e que são tão importantes, pois repercutem para toda a vida.

O esforço deles também contemplou inteligência financeira, tema desta publicação. Uma criança não tem valor monetário mensurável para os pais e para a família, mas a escola, a faculdade, o plano de saúde, as atividades culturais e de lazer, por vezes, têm preços e para que as famílias suportem, há de se ter planejamento.

Todos os meus tios e tias tiveram grande influência sobre o que sou hoje e já que este é um texto de agradecimento por esta publicação que discorre sobre finanças, cabe aqui um agradecimento especial ao meu tio Alvino Coriolano, de quem sempre recebi bons conselhos e recomendações sobre os cuidados que eu deveria ter para construir uma vida confortável e com visão de longo prazo.

Reconheço e agradeço o malabarismo, a criatividade e a inteligência que o meu pai, Raimundo Serafim e mãe, Tânia Coriolano, têm e tiveram enquanto eu era dependente financeiramente deles, para administrar conjuntamente um comércio local e criar a mim e a minha irmã Suellem.

Ao escrever este texto, não consigo sentir outra coisa senão gratidão por tudo que eles fizeram. Cada esforço no passado resulta(ará) em uma porta aberta no futuro e a gênese deste livro aconteceu antes mesmo de eu saber escrever.

Não cheguei aqui sozinho e este livro não é só meu. Compartilho o mérito com minha família, afinal, as experiências que vivi e que semearam esta publicação foram proporcionadas por ela.

Agradeço também à minha esposa Josiane Leite pelo apoio durante a elaboração deste livro e a minha família estendida que ganhei ao casar, Zé Leite e Aldenir, pelos exemplos de liderança, empreendedorismo e gestão de recursos humanos e financeiros.

Muito obrigado a todos!

Daniel Coriolano

SUMÁRIO

PREFÁCIO

"O talento ou acaso não escolhem, para manifestar-se, nem dias nem lugares." Foi assim que me apareceu Daniel Coriolano. Uma mensagem privada, numa rede social, me convidando para conhecer seu trabalho. Chamou a minha atenção o fato de alguém tão jovem ter tão vasto currículo e tantas atribuições. Cheguei a desconfiar que fosse mais um desses coaches que infestam a internet..., mas não!

O Daniel é totalmente o oposto disso: É uma daquelas mentes brilhantes, insaciáveis, que tanto precisamos nesses dias tenebrosos. Quando fui convidado para escrever o prefácio do seu próximo livro, sabia que viria coisa boa por aí... E assim veio: Esta não é uma obra limitada a investimentos ou educação financeira. Não serão apenas números, taxas, modalidades de investimento, índices etc.

O título é mais que apropriado quando utiliza a palavra "Inteligência", pois é ela que seus leitores terão a chance de desenvolver após a leitura. Com uma linguagem bem fácil, objetiva e moderna, o leitor é incentivado de modo sutil a fazer seu próprio diagnóstico financeiro. Quase que como uma terapia, vamos enxergando as armadilhas que caímos, os erros que costumamos cometer e, o principal, as oportunidades que deixamos passar.

O livro *Inteligência Financeira para Médicos* extrapola os limites do dinheiro para tratar questões diárias, sentimentos, costumes e projetos de vida. Entra no campo das relações interpessoais, do marketing, competências e até mesmo em questões filosóficas sobre a vida, importância da solidariedade e outros pontos que irão te surpreender.

Todo o conteúdo é apresentado com grande riqueza de informações, com citações e referências de altíssimo nível, que não vou adiantar para não estragar a experiência do leitor mais ávido!

Este livro não irá te tornar um expert em investimentos, mas com certeza vai quebrar as inúmeras barreiras que a maioria de nós temos sobre o assunto.

Ele vai muito além do dinheiro e do médico como profissional. É muito mais sobre a pessoa que somos e o modo como encaramos a vida. É o pontapé inicial para que você alcance patamares muito mais elevados do que a maioria consegue.

Solon Maia
Médico anestesiologista
Desenhista cartunista criador do @MeusNervos

É parte da cura o desejo de ser curado.

Sêneca

INTRODUÇÃO

É muito provável que nos diversos momentos da sua formação você não tenha tido contato com temas como: educação financeira, planejamento financeiro, investimento e afins. Seja lá no ensino fundamental, seja na graduação, você não deve ter sido exposto à necessidade de estudar sobre finanças pessoais. Algumas famílias costumam trazer o tema nas reuniões de domingo, às vezes o pai, um tio etc. Na maioria dos casos, o que acontece é uma total negligência sobre este tema importante para uma vida mais previsível.

Se você optou por estar por aqui hoje, lendo este livro, é porque a sua consciência já foi despertada para que a sua relação com o dinheiro seja muito melhor e mais eficaz. A cada página, a cada seção do livro, você vai ter insights e aprendizados e eles vão repercutir diretamente na sua vida. Esse é o meu desejo: cooperar para que você adquira uma base sólida sobre educação financeira e investimentos.

Encare as instruções que são expostas aqui no livro como recomendações que são passíveis de adaptações, a depender dos mais variados contextos. A conversa que teremos aqui objetiva principalmente que você desperte a sua percepção para entender que pode ter as rédeas dos seus investimentos e das suas escolhas em relação à sua vida financeira.

Todos temos uma relação com o dinheiro. Isso é inquestionável, portanto precisamos trazer para o nível de consciência cada uma das nossas decisões a esse respeito. Ter uma mentalidade informada e formada sobre isso é peça chave para que você tenha consistência nas ações que vão te levar a uma independência financeira.

O mundo e a tecnologia têm proporcionado mudanças na forma como gastamos nosso dinheiro e isso exerce em nós influência psicológica. Antes, a gente trocava papel, que é o dinheiro, por algum produto, algum bem de consumo. Hoje, devido à grande facilidade que temos em comprar, a grande oferta de produtos que aparecem em nossa timeline, às compras digitais e ao grande apelo de marketing, há um certo distanciamento do real valor do dinheiro. Entenda a palavra "valor" como algo maior que "preço", trata-se de um conceito que vai além da precificação que a moeda tem para comprar coisas.

Imagine esta situação e analise se pode acontecer algo parecido com você: sem intenções maiores, Larisse está passeando no shopping e efetua uma compra de preço considerável, apenas utilizando um pagamento eletrônico com cartão de crédito virtual. Para ela, o "prazer" de adquirir o bem vem primeiro que a "dor", que vem depois representada pelo pagamento da fatura.

A inclinação pelo prazer instantâneo é o principal pilar da falta de planejamento. O simples fato de você não sacar da sua carteira algumas notas de dinheiro gera prejuízo à sua percepção de gasto e isso pode se tornar uma bola de neve.

Podemos, contudo, ativar essa percepção de forma consciente e este deve ser um exercício constante que se configura como recomendação prática para a sua vida a partir da agora.

Você vai perceber que o livro está pautado em um primeiro momento sobre despertar da sua consciência como investidor, e um outro momento mais técnico, onde eu vou lhe apresentar várias modalidades de investimentos em Renda Fixa, com isso você poderá escolher cada uma das opções apresentadas para assim montar uma carteira de investimentos com visão de curto, médio e de longo prazo.

Vamos começar tudo isso pela consolidação da mentalidade investidora, geração do hábito de investir, depois para a parte das escolhas dos produtos de investimentos. Esta é a sequência que eu acredito que seja mais adequada para sair do absoluto zero e chegar aos primeiros investimentos.

Quem sou eu? Eu sempre gostei de compartilhar conhecimentos, desde a época da graduação. Coordenei e participei de projetos de extensão universitária nos quais agregavam muitas pessoas, com o intuito geral de enriquecimento e transformação coletiva por meio da educação.

Ao concluir a faculdade, pude realizar uma série de estudos, fazer alguns cursos nas áreas de educação financeira e planejamento financeiro, ler dezenas de livros e, então, ajudar a mim mesmo e a muitos colegas.

Eles iam até a minha casa e eu lhes apresentava conceitos importantes para que eles tivessem um melhor planejamento financeiro. Com o passar do tempo, comecei a perceber queixas recorrentes sobre finanças por parte dos amigos e tudo que vivenciei tornou-se experiência, como também contribuiu para montar, segundo a minha percepção, de uma forma mais estruturada, tudo o que há de importante para os primeiros passos. E o resultado está nesse livro.

Nessa obra você vai encontrar tudo que precisa para dar os próximos passos em busca de ter uma melhor qualidade de vida e conquistar coisas materiais ou não materiais, isso tudo pautado num bom planejamento e desenvolvimento da sua inteligência financeira.

"Os investimentos em conhecimento geram os melhores dividendos". - Benjamin Franklin

Você vai perceber que, ao ter um conhecimento mais robusto sobre finanças pessoais, poderá ter um melhor planejamento.

Sem inteligência financeira, você pode até aumentar a quantidade de dinheiro que chega até sua conta bancária, mas é a soma de uma boa educação e de um planejamento constante que vai fazer a diferença. Não se trata apenas de ter recursos financeiros disponíveis, mas sim sobre o que fazer com ele.

Imagine uma pessoa que ganha na loteria e não implementa rigor no seu planejamento de vida. O valor que entra na conta bancária pode se evaporar em pouco tempo. Por sua vez, aquela pessoa que tem recurso financeiro limitado e que tem uma boa educação, que sabe planejar, conquista bens de forma paulatina e considerável, subindo um degrau a cada dia, construindo sua independência em uma base sólida e difícil de ser destruída. Lembre-se de uma perspectiva frequente entre os que tem inteligência financeira desenvolvida: - O quanto você consegue economizar é mais importante do que os seus honorários mensais.

Meu desejo é que você possa galgar novos resultados! Que você possa subir alguns degraus! Eu acredito muito que o conhecimento que você vai encontrar aqui vai impactar a sua vida, a de seus familiares e a vida das pessoas que vivem ao seu redor.

A partir da mudança que vai começar a acontecer em você é que estará ao seu alcance o poder de mudar a sociedade. Não pense que falar sobre inteligência financeira é apenas falar em benefício próprio. Ao ter uma visão mais ampliada sobre o dinheiro e sobre os investimentos, você perceberá que vai mudar o meio onde você vive, vai ser contagiante!

Foi por isso que escrevi este livro. Esse é um dos meus propósitos: que as pessoas mudem as suas vidas e que possam mudar a sociedade onde vivem. Essa é minha contribuição! Estou colaborando um pouco para uma mudança positiva na sua vida e você poderá propagar essa corrente de avanço que nós precisamos como parte de um todo chamado sociedade.

O aprendizado sobre qualquer coisa acontece quando nós estamos intrinsecamente desejosos de mudança e este tempero é o que conhecemos por motivação.

Se você tiver acesso a um conteúdo pelo qual não tem interesse, que não lhe gera motivação para aprender, é provável que a retenção do conhecimento não aconteça, ou aconteça de forma muito discreta. Então, se você, ativamente, optou por esse aprendizado, você já tem então a motivação intrínseca. O meu papel é utilizar estratégias para que você possa aprender com mais ênfase.

Este livro não está baseado apenas em passar informação; o meu objetivo também contempla tornar cada um dos capítulos significativo para sua vida.

É por isso que é importante que você faça os exercícios que vou sugerir em alguns momentos. Trata-se de uma estratégia para que as informações se tornem conhecimentos significativos para sua vida. É importante que você se torne ativo nesse processo de aprendizagem. Só ler os capítulos e ficar por isso mesmo não vai gerar transformação.

Ler os capítulos, prestar muita atenção nas simulações, simular o que eu sugiro fazer, executar minhas proposições vai, sem dúvidas, fazer com que você, de fato, dê os próximos passos para ter uma maior consciência financeira, educação financeira, planejamento e geração de mudança.

Aproveite todas as informações deste livro INTELIGÊNCIA FINANCEIRA PARA MÉDICOS, um manual para você sair da "emergência" e conquistar sua independência financeira.

Daniel Coriolano.

PARTE I

UM HOLTER DAS SUAS FINANÇAS: O PLANEJAMENTO

O MÉDICO QUE HÁ EM MIM
LIÇÃO I: ERRO DE MÉDICO RECÉM-FORMADO

Aquele que não prevê as coisas longínquas expõe-se a desgraças próximas.

Confúcio

Este foi o meu erro quando terminei a faculdade de medicina. Um tempo depois descobri que muitos também fizeram isso, e o pior... ainda continuam fazendo!

Quando finalizei o curso de medicina em 2011, as minhas finanças mudaram totalmente (para melhor). O mesmo aconteceu ou vai acontecer com você. De repente chega o primeiro salário e uma elevação considerável do poder de compra acontece. Nesta hora podemos nos iludir em meio às possibilidades de consumo e neste momento é que se manifestam os primeiros sinais e sintomas de analfabetismo financeiro ou de descuido quanto ao gerenciamento dos recursos.

Por isso, se eu fosse você, eu me dedicaria a esse estudo com muita atenção. Leia até o final. Acredito que essa leitura será um marco para seu desenvolvimento pessoal. Não deixe esta oportunidade passar. Não é só sobre dinheiro, é sobre a vida; a minha e a sua vida.

Na época em que eu era estudante da graduação em medicina, passava listas nas salas da faculdade para saber quem queria comprar livros. Depois disso eu pegava o dinheiro de todos os interessados, comprava vários livros direto da editora e repassava aos interessados pelo preço normal de mercado. Pela intermediação e facilitação da compra, eu conseguia algum dinheiro que me serviu bastante em relação às minhas necessidades de vida naquele momento.

Foi uma forma que descobri de, ainda na graduação, ter algum recurso adicional. Conseguia de 200 a 500 reais a cada um ou dois meses. Os ganhos eram flutuantes ao longo dos semestres.

Aproximadamente três meses depois de iniciar minha vida profissional e já com algum dinheiro, decidi comprar um carro! Mas não qualquer carro... um sedan! Imagina só, de estudante sem dinheiro à médico com sedan preto em um curto espaço de tempo! Bom, não é?! Sim! Ótimo!

Mas nem tudo foram flores. Dei uma boa entrada em dinheiro para comprar o carro, mas tive que financiar o saldo devedor em 24 parcelas com juros de 2% ao mês. E se você não consegue discernir se estes juros são elevados ou baixos, este, acredite, é mais um sintoma de que você precisa continuar lendo este livro. Já te adianto que estes juros são elevados em relação aos que você poderia conseguir investindo seu dinheiro em Renda Fixa, por exemplo. Mas só um pouquinho... não se preocupe com os termos agora. Vamos continuar com a leitura.

Com esta bela atitude de médico recém-formado e agora com um carrão financiado, comprometi praticamente meu primeiro ano de trabalho para pagar parcelas e juros ao banco que financiou o carro!

Ao analisar isso retrospectivamente, foi claramente uma escolha errada! Mas na ocasião não pareceu. Capturado pelo marketing que vendia um estilo de vida, associada à minha falta de rigor crítico que me permitisse fazer boas escolhas, estes foram os meus primeiros passos com relação ao dinheiro em minha carreira como médico.

Esta breve trajetória pela qual passei, e que você acabou de conhecer, repete-se pelo país. Eu sei que não estou sozinho nessa e você deve lembrar de alguém com uma história similar. Na minha turma da faculdade é provável que vários fizeram escolhas ruins do ponto de vista do uso dos recursos provenientes dos primeiros salários. Durante a minha residência médica e depois, já como professor universitário, ainda hoje vejo médicos recém-formados fazendo escolhas que os comprometem financeiramente; colegas da área médica comprando veículos caros e trabalhando para pagar juros altíssimos.

Para compensar as más escolhas, muitos aumentam sua carga de trabalho e consequentemente reduzem a qualidade de vida. O que resta é viver de #TBT[1], postando fotos nas redes sociais de eventuais momentos felizes que não podem ser repetidos nem tão cedo, pois todo dinheiro está comprometido com algum bem de consumo de alto preço, cujas prestações irão vencer na próxima semana.

---

1 *TBT significa throwback thursday, que traduzido livremente do inglês, corresponde a "quinta-feira do retorno" e remete a hashtag utilizada para vincular fotos do passado, que geram saudades, simbolizada por #tbt.

Depois de cometer este erro e compreender a importância de pensar criticamente sobre rendimentos, passei a estudar sobre o tema... livros e mais livros sobre dinheiro, investimentos, mentalidade, hábito... além de cursos que fiz para fortalecer minha consciência e dar mais respaldo às minhas decisões. Passei de comprador de bens de consumo a investidor em educação autodirigida e de formações estruturadas.

Boa parte de nós saímos da faculdade sem nenhuma noção sobre como podemos administrar nossa carreira ou como empregar nossos recursos de uma forma consciente e que contribua para conquista de objetivos. Aliás; nem objetivos bem definidos temos! Você tem essa sensação?

É por isso que eu estimulo estudantes da graduação e da pós-graduação que se dediquem a estudar sobre investimentos. É algo importantíssimo que repercute diretamente sobre a qualidade das nossas vidas em curto, médio e longo prazo.

Meu erro de médico recém-formado, descrito quando escolhi trabalhar mais para o banco e pagar juros, foi uma experiência que contribuiu para que eu me sentisse motivado a escrever para você hoje; diante disso, me posiciono sem ressentimentos com o passado e totalmente comprometido com o presente, visando um futuro melhor por meio do planejamento financeiro.

1 PLANEJAMENTO FINANCEIRO

Com organização e tempo, acha-se o segredo de fazer tudo e bem feito.

Pitágoras

Por que falar sobre isso? Por que ter planejamento financeiro?

RESPONDER NÃO OFENDE...

A primeira pergunta que eu gostaria que você respondesse:

Quais as vantagens de um planejamento financeiro?

Pare a leitura agora, responda, e a gente se encontra em alguns instantes.

____

____

____

____

____

____

VANTAGENS DO PLANEJAMENTO FINANCEIRO

Bem, acredito que alguns dos elementos que eu vou citar aqui como vantagens de se ter um planejamento financeiro você vai encontrar nas anotações que acabou de fazer para registrar suas ideias e as vantagens sobre isso, mas, se não encontrar alguns elementos que cito aqui, é totalmente compreensível. Você pode julgar se são pertinentes e inserir ou não na sua lista.

As vantagens para que tenhamos planejamento financeiro comportam muitos aspectos individuais, pessoais. O que é vantagem para mim, pode não ser para você, e é por isso que proporciono esses momentos de questionamentos para que você possa despertar a consciência a cada momento e dialogue com seu contexto.

Eu posso, entretanto, listar algumas vantagens genéricas sobre ter um planejamento financeiro:

- **Previsibilidade de direcionamento de recursos;**
- **Menores chances de ceder aos apelos de compras esporádicas e desnecessárias;**
- **Estabelecer um caminho possível para atingir pequenas, médias e grandes metas.**

Você, eu ou qualquer pessoa que vive em sociedade, que recebe um salário para trabalhar, que recebe recursos do banco ou que mantém uma casa, tem gastos rotineiros como conta de energia, conta de água ou internet e tem gastos esporádicos não planejados. Além disso, podemos pensar em gastos não planejados desejados e não desejados.

Por exemplo: se você sofre um acidente de carro e não tem seguro, isso lhe gera um gasto não planejado e não desejado. Isso vai impactar sobre os seus recursos e sobre o que você tem à disposição, para que assim possa pagar o eventual prejuízo a terceiros ou a você mesmo.

Aquele gasto mensal com a internet, por sua vez, é um gasto planejado.

O gasto que é feito quando você vai até ao shopping e efetua uma compra é um gasto não planejado, mas desejado. Enfim, embora existam essas nomenclaturas, o fato é que o planejamento financeiro reduz as chances de você ter gastos não planejados e não desejados também, porque você pode ter elementos de proteção do seu patrimônio.

Por exemplo, uma batida de carro, em você que não tem seguro de carro, é um gasto não planejado e não desejado. Mas, se você tiver um seguro, isso vai fazer com que você proteja o seu patrimônio. Se o veículo gerou um custo de reparo de R$20.000, e o seu seguro manteve aquele gasto em dois mil, porque é a taxa de franquia, você protegeu R$18.000 do seu patrimônio.

Então é importante que você tenha o planejamento financeiro para proteção de patrimônio e para a construção de vida com melhor qualidade, seja para os gastos planejados e desejados, seja para os gastos não planejados e não desejados.

Quaisquer tipos de gastos que você tenha, com o planejamento financeiro, você pode os tornar mais conscientes e pode deixar o seu patrimônio mais protegido.

Se você quer fazer uma viagem, planejar isso hoje é muito melhor do que comprar tudo de última hora. Além do estresse, o custo financeiro de hotel e passagens tende a ser maior quando não há organização prévia.

Existe um conceito de troca temporal que vou abordar aqui em outro momento. Ao chegar em um estabelecimento comercial e adquirir um bem de consumo com o cartão de crédito, isso faz com que haja um prazer da compra, mas o pagamento daquilo só acontece depois. Ao comprar o bem financiado, com frequência, existe a falsa sensação de que você aumentou o seu patrimônio. Se você compra um bem, por menor que seja, ou se você compra um carro ou um apartamento, há uma percepção de que o seu patrimônio está aumentando, mas, na verdade, o que está aumentando é a dívida e o acúmulo de coisas/produtos. Parar de comprar com o dinheiro que você não tem e, sobretudo, parar de comprar o que você de fato não precisa é uma atitude a ser considerada fortemente, não acha?

VARIÁVEIS NO PLANEJAMENTO FINANCEIRO

Dentro do planejamento financeiro, não pensamos só em gastos planejados, não planejados, desejáveis, não desejáveis. Dentro do planejamento financeiro existem diversas variáveis listadas a seguir, conforme aponta a maior parte da literatura que aborda sobre finanças pessoais.

- **ORÇAMENTO**
- **SEGUROS**
- **REALIZAÇÃO DE OBJETIVOS**
- **PREVIDÊNCIA**
- **TRIBUTOS**
- **INVESTIMENTOS**

1. Orçamento

Você precisa ter um orçamento. Dentro dele, você vai detalhar sobre gastos previsíveis, que são os gastos recorrentes, e vai ainda deixar uma margem para os gastos não planejados, e assim já deixá-los previstos em seu orçamento.

2. Seguro

Dentro do seu planejamento financeiro é importante que sejam incluídos seguros, que basicamente servem para proteção de patrimônio. Seguro de vida, seguro trabalhista, seguro de carro e seguro de casa vão fazer com que você proteja um montante importante do seu patrimônio.

Se você tem uma grande quantidade de recursos e sofre um acidente, ou então seu apartamento sofre um incêndio, todo o seu recurso que estava alocado será comprometido, o que reduzirá o seu patrimônio. Se você tem um seguro, o bem estará protegido, e você vai pagar apenas a franquia.

Seguros servem para proteção de patrimônio. É importante que você os tenha.

3. Realização de Objetivos

Todos nós temos objetivos e muitos deles demandam dinheiro para que possamos realizar. E, para que possamos conquistar nossos sonhos, seja compra de bens, viagens, ou qualquer outra coisa, é preciso um planejamento e ele está dentro desse tema de realização de objetivos de vida.

4. Previdência

A previdência é mais voltada para uma visão de longo prazo. Num determinado momento, a sua jornada de trabalho será reduzida e o seu potencial trabalhista será menor. É necessário que você tenha recursos para a manutenção da qualidade de vida que vinha tendo nos anos anteriores antes da queda da produtividade.

5. Tributos

Não vivemos em sociedade sem pagar tributos. Se você é médico, assim como eu, paga o Conselho Regional de Medicina todos os anos; tem o IPTU do apartamento; você deve pagar o IPVA do carro. Esses impostos, no montante, são uma parte considerável do seu ganho. Se não os contemplar dentro do seu orçamento e do seu planejamento financeiro, em algum momento você pode fechar o mês no vermelho. Você deve até mesmo pensar sobre o imposto sobre heranças e doações, o ITCMD (Imposto sobre Transmissão Causa Mortis e Doações), que é um recurso que seus herdeiros devem ter para acessar os seus bens quando chegar a sua hora.

6. Investimentos

Os investimentos, por sua vez, são os recursos alocados em bens, mas que vão gerar mais recursos. São as verdadeiras fábricas de dinheiro.

AS VANTAGENS DO INVESTIMENTO NO PLANEJAMENTO FINANCEIRO

Devemos buscar o aumento do patrimônio à medida que o tempo passa.

O patrimônio cresce quando seus bens se elevam e suas dívidas reduzem. Se você adquire bens e eles são pautados em dívidas, normalmente não há crescimento do patrimônio, embora isso pareça ter acontecido.

Deixe-me resgatar e aprofundar um exemplo que lhe dei há pouco: você vai ao lançamento de um prédio, recebe a oferta para comprar um apartamento e então compra o imóvel, que custa R$500.000,00. Esse apartamento não é seu ainda, embora haverá a sensação de que você aumentou o seu patrimônio: "Agora tenho um bem, tenho onde morar". Essa sensação, a partir de agora, não deve existir, porque, ao adquirir um bem, quando não se paga à vista por ele, sobretudo um apartamento como esse, você vai pagar determinada quantidade de parcelas, e o que aumentam aqui são as dívidas. Para ser bem prático, o apartamento só será seu de fato e de direito, quando pagar todas as prestações que faltam. Até lá, você viverá a ilusão de possuí-lo.

Normalmente, a dívida vem acompanhada pela cobrança de juros e faz com que haja redução do patrimônio no primeiro momento. Você vai ter que aumentar a sua jornada de trabalho para pagar o valor do apartamento que vai ser parcelado por muito tempo, e pagar os juros que estão embutidos.

Em geral, com um financiamento de longuíssimo prazo, você paga uma grande quantidade de juros. Nessa hipótese, digamos que, ao final, você pague R$700.000,00 em parcelas, com juros diluídos ao longo de dez anos.

Então você teve um aumento de patrimônio ao final sim, porém à custa de grande quantidade de horas trabalhadas, mas, adquirindo um bem de R$ 500.000,00 por R$ 700.000,00. Se você faz um bom planejamento, é possível que reduza a quantidade de juros pagos, aumente de fato o seu patrimônio, ou, quem sabe, se o planejamento for muito robusto, não pague nenhum juro, e possa aproveitar algumas ofertas de mercado que acontecem de vez em quando em alguns feirões, por exemplo.

O prazo de financiamento imobiliário por um grande banco brasileiro é de até 420 meses, ou seja, 35 anos. Vamos observar uma simulação para uma análise com maior teor de realidade e, em seguida, uma simulação de um investimento só com o valor da entrada do imóvel financiado:

- **Simulação de um financiamento imobiliário considerando taxa de juros 8% a.a.**
  - Valor do imóvel: R$ 500.000,00
  - Entrada: R$ 100.000,00
  - Saldo Financiado: R$ 400.000,00 em 360 meses
    - Valor da primeira prestação: R$ 3.684,72
    - Valor da última prestação: R$ 1.118,26
    - Valor da Amortização Mensal: R$ 1.111.11
  - Juros Pagos: R$ 464.536,97
  - Principal financiado: R$ 400.000,00
  - **Total pago ao final: R$ 864.536,97**

- **Simulação do dinheiro investido com taxa de rendimentos de 6% a.a.**
  - Dinheiro Investido: R$ 100.000,00
  - Valor mensal investido: R$ 0
  - Tempo de investimento: 360 meses
  - Valor acumulado com juros compostos ao final: R$ 481.064,90
  - **Total a acumulado: R$ 581.064,90**

Quando você adquire um bem, não necessariamente está aumentando seu patrimônio.

Só há um bem que contribui para o aumento de patrimônio e não para a geração de dívidas: o investimento.

O investimento é uma verdadeira fábrica de dinheiro. Isto porque, simplesmente, ao alocar o seu recurso financeiro nesta "fábrica", ela faz com que haja geração de mais e mais dinheiro.

O que você deve ter em mente e que todo mundo conhece é **a Caderneta de Poupança**. Quando você coloca dinheiro nela, vão ser gerados determinados juros ao mês. Foi uma aplicação que aumentou a quantidade do montante, diferente de um apartamento, que, se for de grande preço, fará você perder com a depreciação de mercado e a depreciação do imóvel. Se você pensa em alugar o imóvel que comprou, você pode perder também nos momentos em que o imóvel vai ficar sem inquilinos. **Aqui vale uma observação: a Caderneta de Poupança pode cursar com juros reais negativos depois de descontada a inflação. Com isso não tem se revelado um bom "investimento".**

Algumas pessoas pensam em comprar imóveis para investir. A depender da situação, isso é muito possível mesmo, mas, se você pensa em morar neles, vai ficar um tempo lá pagando só juros. Cada situação tem sua peculiaridade.

Os investimentos que eu vou lhe apresentar até o final do livro são as verdadeiras fábricas de dinheiro, porque, além de tudo, protegerão o seu capital, o seu recurso financeiro, da inflação, que é o que retira o seu poder de compra. Além de proteger contra a inflação, os investimentos aumentam a quantidade de recursos a cada ano.

Se você optar por não usar hoje o salário que você recebe de R$10.000,00 (dez mil reais) e usar só daqui a dez anos, quem sabe na aposentadoria ou na compra de um bem, lá mais para frente, esse valor vai se transformar, a depender do tipo de investimento eleito, em R$12.000, R$15.000, R$20.000 ou mais... Então existe a necessidade de você ter a visão do seu dinheiro ao longo do tempo.

O dinheiro que você tem hoje pode ser muito mais, se você optar por gastar no futuro, desde que você faça boas escolhas hoje, comprando as fábricas de dinheiro.

Então, você compra uma pequena fábrica aqui, uma pequena fábrica ali, faz o dinheiro trabalhar para você... é você quem vai decidir em que vai investir: poupança, Tesouro Direto, CDBs etc. Não se preocupe com esses nomes, pois eu vou lhe apresentar cada um deles com detalhes. No momento eu apenas quero despertar a sua visão de bens, para que possa gerar mais recursos para você e não lhe tirar seu poder de compra e os recursos que você conquistou com tanto trabalho. Para investir faz-se necessário ter mente e alma de investidor. Por isso, eu preciso lhe chamar a atenção para os pilares do investidor.

Vamos lá saber sobre isso!

2

OS PILARES DO INVESTIDOR

Quer investir em alguma coisa de valor? - Invista em você.

Gil Nunes

É comum, quando se fala em planejamento e em educação financeira, que se pense apenas em dinheiro, mas, para ter um hábito de investidor e ter planejamento, é preciso saber que existem outras variáveis por trás disso tudo, as quais considero como pilares.

Vamos agora realizar quatro estudos de casos. Busque entender a realidade de cada um dos indivíduos descritos nas histórias.

Lembre-se que é de suma importância você pausar a leitura quando achar necessário e fazer as anotações dos aprendizados por trás dos estudos de caso. Utilize esse recurso e de fato pare a leitura! Você terá benefícios.

Ao anotar, você traz muito do que estava no nível de subconsciência para nível de consciência, e isso gera um aprendizado e uma consolidação do conhecimento por um longo prazo.

ESTUDOS DE CASOS

Vamos lá para o primeiro estudo de caso!

ESTUDO DE CASO #1 Dr. Rafael, 47 anos.

Ele é médico, cirurgião, formado há 19 anos. Sempre foi muito trabalhador. Hoje, separado da sua esposa, comparece ao seu atendimento clínico para seguimento do seu estado de saúde, pois, além da obesidade, recebeu o diagnóstico de diabetes mellitus tipo 2 (o diagnóstico foi dado por você na consulta anterior). Relata ser sedentário, tabagista e é bebedor excessivo esporádico.

Durante a conversa que você tem com o Rafael, ele diz que tem apresentado labilidade emocional. Já fez algumas viagens para tentar melhorar, pois "dinheiro não falta", mas tem receio da progressão desse quadro que remete impacto à sua saúde mental.

RESPONDER NÃO OFENDE...

Você já ouviu algo parecido com o caso do Dr. Rafael de 47 anos?

A partir deste caso, quais os seus *insights*?

Esse estudo de caso, certamente, lhe gera aprendizados. Esses aprendizados você deve anotar e nós vamos discuti-los. Pause a leitura e anote.

____

____

____

____

____

Vamos para o segundo estudo de caso.

Esse caso que vou descrever para você também é fictício, mas é provável que você conheça alguém com alguns traços dele. É o caso da Dra. Denise. Ela tem 33 anos.

ESTUDO DE CASO #2 Dra. Denise, 33 anos.

Dra. Denise acordou com taquicardia. Hoje, dia 22, faltam apenas 4 dias para o vencimento de mais um balão do seu apartamento, que comprou na planta, quando terminou a residência médica há um ano.

Ela, daqui a quatro dias, teria que dar mais um balão, essa grande quantidade de recurso. Ela não sabe como vai fazer isso, mas tem que se virar nos próximos 4 dias para conseguir R$3.000, que é o dinheiro que falta para completar o pagamento. Embora tenha rendimento de R$14.000 ao mês, ela afirma que o dinheiro "evapora" e reclama, com frequência, dos seus honorários.

> O que é balão? Quando você compra um apartamento, que paga as mensalidades, e, dependendo da negociação, você tem que dar balões: um, dois, três balões ao longo do ano, que é uma quantidade de recurso equivalente a 4 parcelas ou 5 parcelas, então é uma grande quantidade de recursos. Às vezes, você paga mil reais como prestação, e o balão é dez mil reais.

Então ela fez a aquisição de um apartamento, daqui a quatro dias tem que arranjar mais R$ 3.000, e, embora ganhe R$14.000, não tem esse dinheiro. Ela está com essa ansiedade de como vai fazer para pagar a sua dívida.

RESPONDER NÃO OFENDE...

Quais os aprendizados com esse caso?

Pause e anote seus aprendizados baseado no segundo caso.

____

____

____

____

____

Daqui a pouco vou detalhar mais sobre eles e você notará uma forte correlação com o que está escrevendo ao longo do capítulo.

Vamos ao próximo estudo de caso?

ESTUDO DE CASO #3 Dr. Jorge, 31 anos

Aqui é o terceiro estudo de caso, é o Dr. Jorge.

Dr. Jorge tem 31 anos. Ele já começou dizendo um palavrão: "Que me@?p!x! Dediquei os últimos dois anos a esta clínica e é assim que eles me tratam! Mandam-me embora sem mais nem menos! Bando de fd@p?p!x..." e aí disse mais um palavrão.

Isso aconteceu há 3 meses, logo no início do expediente do Dr. Jorge, na clínica onde trabalhava. Ele ainda não se recolocou no mercado plenamente. Sua renda vem de plantões avulsos. Seu jeito arisco não contribuiu para a formação de uma rede de contatos, e ele segue em busca de novas oportunidades de trabalho.

Este caso ficou claro para você? Ele foi despedido de uma maneira muito repentina, há três meses, quando chegou para trabalhar numa clínica onde ele prestava seus atendimentos. Ele ficou com muita raiva e, desde então, nos últimos três meses, não voltou para o atendimento ambulatorial. Está apenas dando plantões avulsos que consegue aqui e acolá, isso tudo porque tinha um jeito agressivo e não tinha uma rede de contatos.

RESPONDER NÃO OFENDE...

Quais os aprendizados com esse caso?

Pause e anote seus aprendizados baseado no terceiro caso.

____

____

____

____

____

ESTUDO DE CASO #4 Dra. Amanda, 39 anos

Dra. Amanda, 39 anos. Em uma roda de conversa, médicas falavam sobre uma nova conduta frente ao paciente tabagista. Os estudos têm observado uma forte relação do consumo de bupropiona com o ressurgimento de episódios convulsivos em pacientes com histórico positivo de convulsão.

Com os olhos bem abertos, a Dra. Amanda, que acompanha pacientes em abandono do tabagismo, faz uma reflexão de que precisa estabelecer uma rotina de estudos e participação em eventos científicos, pois ainda não sabia daquilo que as colegas acabaram de falar. Desde quando terminou a residência médica, deixa a desejar sobre o aspecto da sua educação.

É uma médica que se sentiu, do ponto de vista cognitivo, abaixo das suas colegas. Ela já terminou a residência há um tempo e nunca mais se preocupou em manter uma atualização. Esse é o estudo de caso da Dra. Amanda de 39 anos.

RESPONDER NÃO OFENDE...

O que você aprendeu com este caso com relação à inteligência financeira?

Pause e anote seus aprendizados baseado no quarto caso.

____

____

____

____

____

Será que você já pegou o fio da meada e já descobriu o que é que eu estou querendo falar sobre inteligência financeira dentro de cada um desses estudos de caso?

Acho que você já pegou muitas coisas e estão anotadas no seu livro.

Vou lhe revelar agora algo mais.

Os seus insights estão aí, e se você quiser ampliá-los ainda mais, e anotar, pause agora. Essa é a oportunidade, porque, nos próximos parágrafos, eu vou dizer o que penso sobre cada um desses estudos de caso.

GABARITO, SEGUNDO A MINHA PERCEPÇÃO

Eu penso que o estudo de **caso 1** representa um médico que não tem atenção sobre investir na sua saúde e no seu lazer.

E, no estudo de **caso 2**, da médica que tinha que dar um balão, necessitava conseguir R$3.000 daqui a quatro dias, o que falta é a educação financeira mesmo, um bom planejamento.

No estudo de **caso 3**, eu penso que o networking, que é um investimento que precisa ser feito, não foi realizado pelo médico citado.

No estudo de **caso 4**, ficaram a desejar aspectos relacionados à educação da formação técnica.

Então esses quatro pilares são o que você deve desenvolver para ter uma boa qualidade de vida. Não concentre os aprendizados deste livro apenas no pilar "finanças", que aborda como alocar recursos e como investir.

Você quer investir? Então invista pensando nesses pilares:

Figura 1: Os 4 pilares do médico investidor

No próximo capítulo abordarei cada um dos pilares separadamente e aprofundarei o tema.

OS 4 PILARES DO INVESTIDOR 3

Conhecer não é demonstrar nem explicar, é aceder à visão.

Antoine de Saint-Exupéry

Veremos os quatro pilares de forma mais abrangente para possibilitar uma mudança na forma de pensar, transformando a informação em consciência, em busca de validar uma mudança de hábito e postura diante da carreira profissional. Afinal, quem não deseja crescer profissionalmente e ter uma melhor qualidade de vida simultaneamente?

#SAÚDE/LAZER

Vamos lá falar sobre o primeiro pilar para um investidor se desenvolver: saúde e lazer[2].

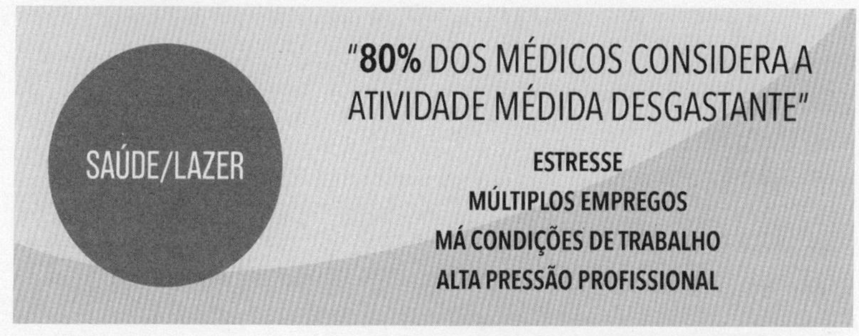

Figura 2: Pilar Saúde/ Lazer

Embora essa pesquisa tenha sido realizada em 2011, ela é pertinente em qualquer época no que se refere ao profissional de saúde em geral. Essa pesquisa, feita com médicos residentes e não residentes de um hospital, concluiu

2 KATSURAYAMA, Marilise et al . Evaluating stress levels on physicians residents and non-residents from academic hospitals. Psicol. hosp. (São Paulo), São Paulo , v. 9, n. 1, p. 75-96, jan. 2011

que 80% dos médicos consideravam a atividade médica desgastante e, em busca de explorar essa conclusão, eles ainda pesquisaram os motivos que levam os médicos a considerarem a atividade como desgastante, e as variáveis encontradas foram: estresse, múltiplos empregos, más condições de trabalho e alta pressão profissional.

Será que você vive um pouco disso? Será que você tem muito estresse na sua profissão? Será que você tem que trabalhar em vários locais para conseguir a quantidade de recursos que você acha que precisa? Será que a condição do seu trabalho é boa? Será que, se você tivesse um melhor planejamento de recursos, você teria que se submeter a isso? Será que existe uma alta pressão para o desempenho da sua função a cada dia? Isso sim tem tudo a ver com investimento.

É preciso que você tenha uma atenção e um investimento de tempo no seu bem precioso; sua saúde e seu lazer.

Veja aqui o posicionamento que o *American College of Sports Medicine* (Colégio Americano de Medicina do Esporte) nos dá sobre exercício físico[3]:

Posicionamento Oficial
American College of Sports Medicine

"Foi demonstrada a eficiência do exercício regular com uma determinada combinação de ***FREQUÊNCIA, INTENSIDADE*** *e* ***DURAÇÃO****, para a obtenção de um efeito de treinamento"*

"Em geral, quanto mais baixo o estímulo, menores são os efeitos de treinamento e quanto maior o estímulo, maior é o efeito"

Figura 3: Posicionamento do Colégio Americano de Medicina do Esporte

Temos que praticar exercícios físicos para que tenhamos uma maior qualidade de vida, além de disposição motora, mental, emocional. Quando consideramos as três variáveis: frequência, intensidade e duração dos exercícios físicos, podemos mexer nessas variáveis e ter os benefícios que os exercícios físicos podem trazer para nossas vidas, e isso dentro de um investimento para saúde e para lazer.

---

3 A quantidade e o tipo recomendados de exercícios para o desenvolvimento e a manutenção da aptidão cardiorrespiratória e muscular em adultos saudáveis. Rev Bras Med Esporte, Niterói , v. 4, n. 3, p. 96-106

Normalmente, quando aumenta a frequência de exercício físico, fazendo seis ou sete vezes por semana, você pode fazer exercício com menor duração e com menor intensidade. Se você não tem tanto tempo assim para se dedicar ao exercício físico, nos sete dias da semana, você pode aumentar a intensidade e reduzir a frequência, ou seja, a quantidade de dias.

E se você quiser aumentar a intensidade, você pode reduzir até a duração. Lógico, lembrando um princípio: curta duração e maior intensidade se relacionam a um maior risco de lesões.

Você pode equilibrar isso ao ponto de ter uma boa frequência, uma boa intensidade, uma boa duração, com redução do risco de lesões.

Incluir exercício físico na sua vida é um dos pontos que contribui como investimento para sua saúde. Não adianta ter uma grande quantidade de recursos financeiros e não poder usufruir porque sua saúde está prejudicada.

Lembra um dos casos que eu lhe apresentei aqui? O médico dizia: "Dinheiro não falta!", entretanto, estava lá com labilidade emocional. Era um médico que, provavelmente, tinha um diagnóstico de depressão, mas o pilar dele de finanças não estava ruim. O que estava ruim era o pilar de saúde. É importante dedicar tempo a fazer exercícios, a passear com os familiares, ir ao cinema, fazer viagens, entre outros, para que possamos usufruir de uma boa qualidade de vida.

Não é que a qualidade de vida vai vir no futuro, é que ela tem que ser vivida a partir deste momento! Tudo bem?

Esse dito popular deve marcar muito bem essa primeira discussão, esse primeiro pilar:

"Aquela pessoa que não tem tempo para cuidar da sua saúde hoje vai ter que conseguir tempo para cuidar da sua doença."

Você tem a opção hoje de fazer investimento na sua saúde, no seu lazer, e isso vai melhorar a qualidade da sua vida.

Compreendido isso, vamos para o segundo pilar!

#NETWORKING

O segundo pilar é muito importante: networking! Já ouviu esse termo antes? Sabe explicar o que é isso? Você já faz networking?

Se não faz, a partir desse momento, passe a fazer. Use isso a seu favor para o desenvolvimento da sua carreira!

Trata-se de uma forte rede de contatos que você constrói na sociedade. A rede de contatos pode ser virtual e/ou presencial.

Se você tem um âmbito de trabalho com várias pessoas, então há uma rede de contatos ali. Você pode ter uma relação muito intensa com ela ou não.

Se você tem uma relação muito intensa, cria-se, portanto, o networking. Quando precisar de algo, alguém da sua rede vai lhe ajudar, e, quando alguém do seu networking precisar de algo, você tem possibilidades de ajudar aquelas pessoas. E nisso não há nada de ruim. Isso é viver em sociedade, onde podemos contribuir com as pessoas e as pessoas podem contribuir conosco.

O caso que eu citei para você do médico que, há três meses, foi demitido e ainda não conseguiu se recolocar no trabalho, gera uma reflexão: se ele tivesse um networking muito denso, provavelmente algum colega já teria indicado algum outro emprego para ele, porque, quando se tem um networking muito forte, muito alastrado, você pode se recolocar no mercado mais facilmente.

No caso, ele poderia ter novas oportunidades de trabalho, consequentemente, a oportunidade de novos ganhos financeiros e a oportunidade de contribuir para as pessoas que estão no seu networking, e também de receber a contribuição delas.

> Networking é o fortalecimento do nosso relacionamento e das nossas relações interpessoais, um verdadeiro ativo social.

Talvez você já tenha ouvido essa frase: "amigo na praça é melhor que dinheiro no banco". Isso é um pouco do que diz esse pilar de networking. Quando existe ativos sociais, você tem uma rede que vai alavancar a sua carreira.

RESPONDER NÃO OFENDE...

Esse é o meu exercício para você agora.

Você pode, inicialmente, listar quais as suas redes de contato, e então verificar se as tem fortalecido ou não. É importante trazer para o seu contexto. Não adianta eu listar aqui as redes de contato que você pode fortalecer, porque eu não sei quais são as suas redes. Em sua cabeça, de acordo com a sua realidade, é que estão quais as redes você pode fortalecer, e esse momento serve para isso. Quando listar as suas redes de contato, terá uma visão mais crítica sobre elas e vai poder agir, contribuindo para o fortalecimento da mesma.

Quais as redes de contato você tem fortalecido ou ainda pode fortalecer?

____

____

____

____

____

Isso tudo deve ser baseado em forte inteligência nos relacionamentos interpessoais: importar-se mais com as pessoas que estão na sua rede, mostrar-se disponível para resolver os problemas de outras pessoas e ajudá-las. De forma bem natural, a reciprocidade vai existir diante do seu networking.

Olha só o que o médico e palestrante Roberto Shinyashiki diz sobre networking.

> Como fazer networking sem parecer interesseiro? "Gente, networking é uma das coisas mais importantes para você subir na vida. [...] Conheça a outra pessoa, manifeste-se interessado nela e, se der, ajude-a."[4]

---

4 EXAME.com Como fazer networking sem parecer interesseiro? https://youtu.be/thLK-ZEw0uU0

Percebeu o quanto é importante você se importar com um relacionamento interpessoal? O quanto é importante fortalecer o seu networking? O quanto é importante se mostrar disponível para contribuir para as pessoas?

E aí, num dado momento, isso vai contribuir para a sua carreira. Quando contribui para sua carreira, lhe proporciona outras oportunidades, aumentando a quantidade de recursos financeiros que chegam à sua conta.

Então, esse é o poder do networking.

O LEITOR QUE HÁ EM MIM

Para que você possa desenvolver o seu networking e as suas habilidades interpessoais, eu deixo como sugestão de leitura o livro: *Como fazer amigos e influenciar pessoas*, do autor Dale Carnegie. Esse livro orienta de maneira direta e simples como você pode se relacionar no âmbito profissional e pessoal.

Esse livro já é best seller há muitos anos. São mais de 50 milhões de exemplares vendidos em todo o mundo. Ele vai trazer para você bons aprendizados sobre como você pode se relacionar melhor com as pessoas. O autor, através de histórias, conta como ele pôde alavancar a sua carreira e melhorar o seu networking e as suas relações. O livro contribuiu muito para a minha vida, tanto para as relações dentro do âmbito familiar, quanto nas minhas relações no âmbito acadêmico, com os meus alunos da graduação e da pós e para os meus treinamentos dentro da Núcleo MD – organização de Educação Médica da qual sou sócio, cujo propósito é impactar positivamente a qualidade de vida das pessoas.

#EDUCAÇÃO

Vamos falar agora sobre o terceiro pilar do investidor: a educação. Já citei um pouco sobre isso ao te indicar o livro *Como fazer amigos e influenciar pessoas*. Quando você compra o livro e estuda, você investiu certa quantidade de dinheiro e de tempo na sua educação.

É isso que você está fazendo lendo esta obra: dedicou uma quantidade de recurso e tempo para que avance intelectualmente. Este é um pilar do investidor.

Existe uma teoria chamada "Teoria do Capital Humano", que diz basicamente o seguinte: "investimentos em educação e saúde podem aprimorar as aptidões e habilidades dos indivíduos, tornando-os mais produtivos, o que, em larga escala, pode influenciar positivamente as taxas de crescimento dos países"[5].

A Teoria do Capital Humano surgiu na década de 1950 com os estudos de Theodore W. Schultz, na época professor da Universidade de Chicago, sendo desenvolvida e popularizada por Gary S. Becker em 1993.

Então, se você dedica tempo especificamente à educação e/ou à saúde, como eu já havia citado antes, você tem mais produtividade.

Ao ter mais produtividade, você tem maior capacidade de influenciar a vida dos outros, aumentar a taxa de crescimento do país e, consequentemente, aumentar sua taxa de entrada de recursos, ou seja, aumento de patrimônio.

Se você estuda, tem uma boa educação e dedica tempo a isso, crescerá na sua carreira. Lembre um dos estudos de casos apresentados, em que a médica não sabia sobre uma informação dita por uma de suas colegas em uma roda de conversa. Ela não investia em educação desde que terminou a residência médica, e aí ficou para trás.

A Teoria do Capital Humano diz que, se você investir em sua educação, avançará em sua carreira, aumentará seus recursos financeiros, e a taxa de crescimento do país também será incrementada, a partir do individual, em direção ao coletivo.

É por isso que eu repito várias vezes que, ao mudar a si mesmo, mudará também seus familiares e seu meio social. É um crescimento exponencial.

A Teoria do Capital Humano é um modelo estrutural que está em evidência e diz que há forte correlação entre escolaridade e empregabilidade. Portanto, ela defende que quanto maior e melhor for a sua escolaridade, maiores suas chances de adentrar e se recolocar no mercado de trabalho. Contudo, há críticas a essa teoria, devido a tantos profissionais preparados sem atuação satisfatória no mercado.

Talvez você já tenha ouvido falar que uma pessoa que tem mestrado ou doutorado esteja desempregada.

Há um determinado momento em que o nível de escolaridade não tem tanta influência para o aumento de salário e da empregabilidade, mas acredito que você ainda tenha muito o que estudar e avançar, aumentando assim o seu salário e a sua empregabilidade.

---

5 ANDRADE, Rita, Teoria do Capital Humano e a qualidade da educação nos estados brasileiros. Universidade Federal do Rio Grande do Sul, Porto Alegre, 2010. URL: https://lume.ufrgs.br/handle/10183/25425. https://lume.ufrgs.br/handle/10183/25425.

Enfatizo que não se trata apenas de escolaridade formal: fazer pós-graduação, residência médica, mestrado, doutorado. Cursos livres que fazem sentido para o seu contexto contribuem muito para o seu enriquecimento intelectual.

Este livro vai contribuir para o avanço dos seus rendimentos. Não tenho dúvidas sobre isso!

Talvez esta leitura não tenha nada a ver com seu emprego atual. Perceba então que você deve se expor à educação fora de seu contexto básico. Se você é médico, você pode fazer um curso de educação financeira ou de escrita, por exemplo. Em algum momento, você juntará essas várias referências que obteve, e elas vão contribuir para que você escreva um livro, venda-o e seja remunerado por isso. Quando você atua para gerar valor para a sociedade, de alguma forma algum valor também é gerado para você, algumas vezes em forma monetária, outras vezes em forma de "obrigado", um abraço etc.

Steve Jobs, durante o seu período de graduação, fez um curso na universidade em que estudava que não tinha a ver com seu curso básico. O objetivo do curso era apresentar a influência do design da escrita na vida das pessoas e, a partir disso, ele trouxe um design mais agradável para os equipamentos da Apple. Portanto, um curso de tipografia que, aparentemente, nada tinha a ver com tecnologia, foi usado como referência por Steve Jobs.

Podemos nos expor a várias situações de estudo e de educação que vão contribuir para o nosso desenvolvimento de carreira. Não é só o estudo formal. Alguns exemplos são os livros que você compra que não necessariamente têm a ver com a sua linha de trabalho atual; e os livros técnicos, que vão fazer com que você tenha um melhor desempenho neste âmbito. Enfim, a exposição a situações que vão alavancar o seu desenvolvimento cognitivo e a sua educação vão aumentar os seus recursos de vida.

Ainda dentro da Teoria do Capital Humano, destaca Ferreira "...evidências empíricas sugerem fortemente que a educação continua sendo a variável de maior poder explicativo para a desigualdade brasileira e as relações de consumo"[6].

Esse dado fortalece a ideia de que, quando você tem uma melhor educação, e isso inclui a educação financeira, você pode contribuir para mudar o Brasil. Você pode mudar a partir do seu contexto e, quanto mais pessoas têm acesso, mais pessoas podem mudar. Não adianta partir do geral: é melhor

6 FERREIRA, F. H. G. Os determinantes da desigualdade de renda no Brasil: luta de classes ou heterogeneidade educacional? In: HENRIQUES, R. (Org.). Desigualdade e pobreza no Brasil. Rio de Janeiro: Ipea, 2000.

partir do individual, fazendo uma mudança interna. Assim, isso vai se alastrar, "contaminando" o meio positivamente.

Eu considero que devemos aumentar o nosso "repertório mental", que é enriquecer o nosso conjunto de referências, sejam as técnicas, sejam as não técnicas.

Fui convidado a fazer uma palestra para estudantes de medicina em sua primeira semana de aula na graduação, então elaborei a apresentação baseada no tema "Como desenvolver a criatividade na Medicina". O que tem a ver "desenvolvimento de criatividade na Medicina"[7] com você? Neste momento, não sei responder, mas garanto que este ou outro aprendizado só irá ajudar na sua vida.

#FINANÇAS

Vamos agora falar sobre o pilar finanças. Esse, usualmente, as pessoas não esquecem!

Veja este dado impactante: uma pesquisa realizada em 2014, pelo SPC Brasil, revelou que 42% das pessoas não sabem dizer, com precisão, qual é a sua renda. Pode parecer estranho, mas, no contexto médico, é muito frequente o indivíduo trabalhar em vários locais e não saber, com exatidão, o quanto recebe.

Às vezes a quantidade de plantões é bem variável por mês, e isso faz com que, se você perguntar a um médico o quanto recebe, ele não saiba dar uma resposta exata, o que o inclui dentro da porcentagem citada.

Isso demonstra certa desorganização financeira e contribui para um consumo baseado puramente em desejo ser maior do que o consumo baseado em necessidade e planejamento, afinal um mês recebeu mais recurso no outro menos, e nessa variação há uma justificativa mental de que "vou trabalhar mais no próximo mês para compensar esse gasto que estou fazendo agora, mesmo que ele não esteja no orçamento".

---

7 Gravei a o conteúdo e penso que ele vai fazer com que você tenha alguns insights e aumente o seu repertório mental. Link para o vídeo: https://youtu.be/9KyrU6i-_L8

Quando você fizer uma compra, antes de finalizá-la, faça uma pergunta: isso é puramente desejo ou aqui há também necessidade?

Não que devamos eliminar tudo o que é desejo simplesmente, isto não é necessário. O fato é que o nosso recurso não deve ir, em grande quantidade, apenas para aquilo que é desejo e não necessário para as nossas vidas. Isto é fazer concessão e reduzir a possiblidade de direcionar recursos para a saúde e para investimentos que vão gerar bons frutos a longo prazo.

Alguns prazeres podem acontecer de forma não planejada, e isso pode já estar em seu orçamento. O que não pode acontecer é o consumo exagerado e não planejado de coisas que, por acaso, viram desejos, o que normalmente acontece quando o marketing é bem feito e "pegou" você mais pela emoção do que pela razão.

O marketing é uma coisa boa, facilita a compra e aumenta a quantidade de compradores, entretanto, como consumidor, você deve ter sempre uma visão crítica: esse gasto representa um desejo necessário ou desnecessário? Faça suas escolhas conscientes a partir dessa reflexão.

Se não fizer isso, você está mais sujeito a bagunçar seu orçamento e aí compromete, certamente, as suas finanças, que é o pilar sobre o qual estou explorando.

Existe um conceito chamado **TROCA INTERTEMPORAL**[8], que diz que as escolhas do presente influenciarão no seu futuro.

Tudo que você faz hoje é uma semente que, em um dado momento, trará frutos, cuja qualidade vai depender de quão boa é sua plantação hoje e quão bom é o seu cuidado para com a árvore que vai nascer, ou seja, o sucesso tende a ser proporcional ao esforço que você empreendeu.

Você pode equilibrar o prazer de hoje com o prazer do futuro. Com o dinheiro que você tem hoje, use uma parte agora, tenha prazer hoje, contudo guarde a outra parte para usar no futuro, e tenha prazer no futuro também. Com a troca intertemporal, se você compromete a maior parte do seu recurso hoje, no futuro você terá pouco, o que, consequentemente, compromete sua qualidade de vida. De outra forma, se você guardar tudo para o futuro, você não terá um presente como merece.

---

8 Berns, Gregory S., David Laibson, and George Loewenstein. 2007. Intertemporal choice--toward an integrative framework. Trends in Cognitive Sciences 11(11): 482-488. URL: https://www.ncbi.nlm.nih.gov/pubmed/17980645

O conceito de TROCA INTERTEMPORAL faz correlação com os conceitos de **MIOPIA TEMPORAL** e **HIPERMETROPIA TEMPORAL**[9], de Gianneti. Depois de lê-los, veja se você se encaixa em algum deles!

A **miopia temporal**, no contexto de finanças, é a dificuldade de enxergar o que está longe, só enxergando o prazer que está próximo, não visualizando o prazer que seu recurso financeiro pode proporcionar no futuro, então aloca tudo o que tem no prazer que o dinheiro pode comprar agora.

A **hipermetropia temporal**, por sua vez, acontece naqueles que só conseguem ver o prazer no futuro e não percebem que hoje podem ter o prazer do consumo, desde que tenham planejamento. Essas pessoas alocam todos os seus recursos para o futuro – e são popularmente chamadas de "mão de vaca". Elas não querem direcionar recursos para um momento prazeroso no momento atual, deixando tudo para o futuro, período em que talvez nem possam usufruir daquilo que guardaram.

> Precisamos, portanto, ter um equilíbrio: nem miopia temporal, buscando só o prazer atual, nem hipermetropia temporal, buscando apenas o prazer futuro. Que possamos colocar os óculos da inteligência financeira!

Temos que ter um meio termo, pois podemos usufruir dos recursos atuais, tendo prazer hoje, mas é preciso ainda planejamento para que, no futuro, o que estamos fazendo hoje, contribua para a manutenção de nossa qualidade de vida hoje e amanhã.

RESPONDER NÃO OFENDE...

Depois de conhecer os conceitos de miopia e hipermetropia temporal, você consegue se encaixar em algum deles? Qual? Por quê?

____

____

____

____

9 GIANNETTI, Eduardo. O valor do amanhã: ensaio sobre a natureza dos juros. 1. ed. São Paulo: Companhia das Letras, 2005.

Se você conseguiu responder, agora essa constatação está em seu nível de consciência, o que pode lhe trazer uma visão crítica que lhe permita equilibrar a situação.

É importante que tenhamos a consciência de que nossas DECISÕES DE CONSUMO afetam os recursos naturais disponíveis no planeta. Eu gosto de ampliar a visão das pessoas com quem converso sobre planejamento e inteligência financeira sobre esse aspecto.

Inteligência financeira não é só você – é o mundo! Quando você tem decisões precisas sobre o que vai consumir, você contribui para a manutenção dos recursos do planeta. O lixo relacionado ao hiperconsumo que deve haver nas proximidades de sua casa e o consumo de bens superpoluentes, por serem vendidos em várias embalagens, são exemplos de consequências das decisões de consumo que influenciam o planeta.

Trocar um equipamento todo mês talvez não contribua para a manutenção dos recursos do planeta. Enfim, não vou me alongar sobre sustentabilidade ambiental, mas ela deve fazer parte de sua visão.

Tenho um amigo médico que diz que consumo é um voto, o qual pode ser contra ou a favor de alguma coisa. Por exemplo, o consumo de carne. Quando você faz essa escolha de consumo, você está influenciando toda uma cadeia de produção. Outro exemplo é quando você compra um produto pirata. Esse produto, feito provavelmente a partir de um trabalho não regulamentado, seja no Brasil ou em outro país, patrocinou a qualidade de vida de outras pessoas, expondo-as a riscos, em detrimento do preço pago pelo produto pirata.

Tenha, portanto, consciência sobre o consumo, seja relacionado a produtos naturais, seja uma visão ampla da cadeia de produção daquele bem. Isso também é ter consciência de vida e consciência financeira.

Você deve seguir, basicamente, essas regras que vão fortalecer o seu pilar de investimentos e finanças:

- **Desperdício a Eliminar;**
- **Supérfluos a Reduzir (ou eliminar);**
- **Necessários a Otimizar.**

Tudo o que você considerar como **desperdício**, você deve eliminar.

Tudo o que é **supérfluo**, que não necessariamente vai contribuir para a sua vida, você pode reduzir, ou até mesmo eliminar. A decisão é sua! Talvez algumas coisas supérfluas podem contribuir para sua melhor sensação de prazer e sua alegria, então não precisa eliminar - basta reduzir!

O que é **necessário**, por sua vez, deverá ser otimizado. Por exemplo, se você tem um smartphone cujo plano de dados custa R$ 200 por mês, porém você não utiliza os minutos, nem o pacote de dados. Quem sabe otimizar esse recurso não seria a conduta a ser tomada? Então você liga para a operadora e pede para reduzir o pacote, passando a pagar, a partir de então, apenas R$ 100 por mês. Você precisa da internet e precisa do telefone, mas otimiza o recurso. Tenha uma visão geral do que você consome com frequência e pode otimizar.

Talvez você já tenha visto uma cena de Alice no país das maravilhas que mostra Alice tentando decidir qual caminho tomar. O gato lhe responde: "Isso depende do lugar aonde quer ir!" Ela diz que "Não importa o lugar", o que faz o gato dizer: "Se não sabe para onde ir, qualquer caminho serve."

Percebeu o que essa cena tem a ver com investimento? Se Alice não sabe onde quer chegar, qualquer caminho serve! E você sabe onde quer chegar?

Para sabermos onde queremos ir, devemos planejar. Quando eu encontro alguém e quero desejar alguma coisa para ela, normalmente eu digo: Que você conquiste tudo o que planeja! Então, por trás disso, já está a sugestão de planejar alguma coisa. Se você não planeja e não sabe onde quer chegar, qualquer caminho serve.

RESPONDER NÃO OFENDE...

Registre uma visão geral do que você consome com frequência e otimize seu consumo.

Onde você quer chegar?

____

____

____

____

____

Quanto ao planejamento de consumo, por exemplo, pode acontecer que, repentinamente, lhe surja uma vontade súbita de trocar de carro... se não tem planejamento, qualquer caminho serve! Em um dado momento, haverá certa quantidade de recursos na sua conta, você achará que pode adquirir um bem, acaba por comprá-lo, mas depois percebe que não era necessário, era só um supérfluo. Enfim, planejar é preciso (nos dois sentidos; necessidade e exatidão)!

RESPONDER NÃO OFENDE...

Você sabe exatamente qual é a sua receita mensal?

Você deve escrever qual é a sua receita mensal para ter uma maior consciência sobre isso, o que vai servir, sobretudo, se você tem várias fontes de recursos.

____

____

____

____

____

Você sabe exatamente quanto são suas despesas?

Do lado dos seus rendimentos, você anotará suas despesas. Dívidas em despesas recorrentes (ex.: conta de água, conta de luz, impostos, etc.), podendo colocar isso relacionado ao ano (ex.: IPVA do carro) e coloque suas despesas esporádicas. Assim, você terá uma visão melhor do quanto entra no seu saldo e do quanto sai de dívidas. Esse é o primeiro passo - nós ainda vamos avançar! Você deverá interpretar as despesas como desejo necessário (DN) ou desejo desnecessário (DD).

Faça uma planilha similar ao exemplo a seguir, isso servirá para ampliar a sua visão crítica sobre os seus consumos e recursos atuais.

PLANILHA DE ORÇAMENTO

Mês		Janeiro
		Valor
Receitas	Salário	R$ 10,000.00
	Aluguel (recebimentos)	R$ 700.00
	Plantões	R$ 1,129.00
	Horas extras	R$ 300.00
	13° salário	R$ 0.00
	Férias	R$ 3,500.00
	Bolsa 1	R$ 2,000.00
	Total	**R$ 17,629.00**

Despesas fixas Aquelas que têm o mesmo montante mensalmente			
	Habitação	Aluguel	R$ 2,000.00
		Condomínio	R$ 600.00
		NetfliX	R$ 27.90
		Seguro da casa	R$ 324.00
		Diarista	R$ 120.00
		Estacionamento	R$ 100.00
	Transporte	Prestação do carro	R$ 0.00
		Seguro do carro	R$ 34.00
		Estacionamento	R$ 100.00
	Saúde	Seguro saúde	R$ 432.00
		Plano de saúde	R$ 3.00
	Educação	Colégio	R$ 1,300.00
		Faculdade	R$ 4,344.00
		Curso	R$ 0.00
	Impostos	IPTU	
		IPVA	
	Outros	Seguro de vida	
	Total despesas fixas		**R$ 9,384.90**

Despesas variáveis Aquelas que acontecem todos os meses, mas podemos tentar reduzir			
	Habitação	Luz	R$ 200.00
		Água	R$ 432.00
		Telefone	
		Telefone Celular	R$ 250.00
		Gás	
		Mensalidade TV	
		Internet	
	Transporte	Uber	R$ 432.00
		Ônibus	
		Combustível	
		Estacionamento	
	Alimentação	Supermercado	R$ 1,200.00
		Feira	R$ 231.00
		Padaria	
	Saúde	Medicamentos	
	Cuidados pessoais	Cabeleireiro	R$ 70.00
		Manicure	R$ 231.00
		Esteticista	
		Academia	R$ 350.00
		Clube	
	Total despesas variáveis		**R$ 3,796.00**

Faça o exercício, e nos encontramos no próximo capítulo!

4

SEU DIAGNÓSTICO

Cada vez que você faz uma opção, está transformando sua essência em alguma coisa um pouco diferente do que era antes.

C.S. Lewis

Chegou a hora de um dos exercícios mais importantes. Chegou o momento de ter um diagnóstico bem preciso de onde você está alocando os seus recursos em relação aos quatro pilares que foram apresentados: saúde/lazer, educação, networking, finanças.

O diagnóstico irá lhe possibilitar uma visão sobre seu estado atual e ver o que pode ser feito para melhorar cada um desses recursos. Agora é a hora de planejar qual caminho você pode e quer seguir!

Vai funcionar da seguinte forma: vou colocar aqui 5 perguntas em relação a cada recurso para você respondê-las. Cada perguntar deve ser classificada entre 1, 2, 3, 4 e 5. Quanto maior o número, maior é a ênfase e a energia que você dá ao recurso. Por exemplo, eu vou lhe perguntar, sobre o primeiro pilar: você faz exercícios? Sua resposta será a nota. Responda 1 se você é sedentário; caso você pratique exercícios físicos na quantidade que acha que deve fazer, responda 5. Dê nota 3 se você faz, mas não é tão frequente. Então, quanto maior a nota, maior é o seu esforço na variável em questão. Responda com rapidez e não fique pensando por muito tempo! Vamos lá!?

RESPONDER NÃO OFENDE...

#1 PILAR SAÚDE & LAZER

Exercícios Físicos ( )

Pontue de 1 a 5 para este item. Você faz exercícios na quantidade em que acha que deveria?

Encontro com amigos ( )

Qual pontuação você dá? Você tem bons encontros com seus amigos na frequência em que gostaria? Se sim, marque 5. Se não tem de jeito nenhum, marque 1.

Alimentação ( )

Você considera sua alimentação adequada? Ela contribui para sua saúde? Se você está totalmente certo disso, marque 5. Se não, atribua o número que acha que representa sua resposta.

Relacionamento com familiares ( )

Como está a qualidade de relacionamento com seus familiares? Qual nota você dá?

Relacionamento amoroso, cinema, peça de teatro etc. ( )

Qual nota você dá para essas variáveis genéricas, como relacionamento amoroso, ou ir ao cinema, ir ao teatro... como está essa parte de lazer na sua vida? Marque de 1 a 5.

Em breve iremos interpretar esse pilar. Vamos ao próximo: Networking

#2 PILAR NETWORKING

Você utiliza as redes sociais para fortalecer a sua presença? ( )

Quando falo "redes sociais", refiro-me tanto à físicas quanto digitais. Suas redes ajudam a fortalecer a sua presença no meio?

Você tem cartões de visita? ( )

Às vezes você encontra algum parceiro comercial e entrega o seu cartão de visitas. Você tem o seu? Pode ser físico ou virtual, compartilhável via Bluetooth. Como profissional, é importante que o tenha. Se você tem, marque 5. Se não tem, marque 1. Aqui não há muita margem para outras pontuações, a não ser que você tenha, mas não esteja com ele no bolso, ou algo assim, então você pode pontuar 3, por exemplo.

Você tem presença digital estruturada? ( )

Por exemplo, você tem um site ou blog onde pode mostrar o seu potencial de trabalho e ampliar o seu networking? Um local onde seu portfólio e/ou ideias estão expostas de forma organizada?

Você dá atenção às pessoas do seu trabalho? ( )

Você acha que dá atenção àquelas pessoas com quem convive a cada dia? Você acha que contribui para a evolução delas? De alguma forma, você está disponível a ajudá-las? Ou você chega ao trabalho, volta para casa e não se relaciona com essas pessoas? Qual o seu nível de interação de 1 a 5?

Você ajuda seus amigos(as) que precisam? ( )

Você é uma pessoa disponível para ajudar os seus amigos?

Vamos ao próximo!

#3 PILAR EDUCAÇÃO

Você tem uma leitura de quantidade adequada de livros/ano? ( )

Conforme seu julgamento subjetivo de "adequado", como está a quantidade de livros que você lê por ano? Nos últimos 12 meses, você fez uma quantidade de leituras adequada? Isso vai contribuir na sua educação. Se fez e está satisfeito, marque 5. Se não leu, escolha 1. Se não está plenamente satisfeito, escreva 3. Faça uma graduação subjetiva.

Você tem interesses por temas fora do seu contexto? ( )

Nós, por exemplo, somos médicos. Então a pergunta seria: você tem interesse em temas não médicos? Dê sua nota quanto a isso.

Você tem participado de eventos fora da sua área? ( )

Mais uma vez o exemplo para médicos: você tem participado de eventos não médicos para aumentar o seu repertório mental ou fora da sua especialidade? Se sim e está satisfeito, marque 5. Se não fez participações em eventos que não são da sua área, escreva 1.

Você tem buscado novas competências? ( )

Você tem a sensação de que tem aprendido coisas novas nos últimos 12 meses? Se sim e totalmente satisfeito, marque 5. Se não, marque 1.

Agora o último pilar sobre finanças.

#4 PILAR FINANÇAS

Seu padrão de vida está abaixo do seu orçamento? ( )

Você vive um padrão de vida cujos gastos são menores do que o que você ganha ou você gasta tudo em um mês, e no mês seguinte tem que ganhar tudo de novo para gastar? Dê uma nota de 1 a 5.

Você investe regularmente dinheiro? ( )

Você investe regularmente dinheiro nas fábricas de dinheiro? Você investe de forma regular em ativos?

Você planeja a compra de bens de consumo? ( )

Você planeja a compra de bens de consumo ou simplesmente compra o que aparece? Se planeja totalmente é 5. Se não planeja, é 1.

Você sabe exatamente o quanto recebe por mês ou ano? ( )

Se você sabe parcialmente é 3, se sabe plenamente, marque 5, por exemplo.

Você sabe exatamente o quanto gasta por mês? ( )

Se você fez o exercício anterior, você já sabe. Mas, nos últimos tempos, você esteve desperto para o quanto gasta?

Agora vamos interpretar os resultados.

Você tem 4 pilares. Para cada pilar, veja qual a média da pontuação e arredonde para cima se o número depois da vírgula for maior que cinco e arredonde para baixo se o número for até cinco.

Interpretação do teste conforme sua média:

- **1 ou 2, significa que, naquele pilar, você precisa investir;**
- **3 ou 4, você já tem um investimento adequado nesse pilar, entretanto, ainda há margem para melhorias, se você assim desejar.**
- **Se a média é 5, isso significa que você está investindo de forma excelente nesse pilar.**

Como exemplo, no pilar saúde, se sua média é 1 e 2, então os investimentos neste item estão baixos. No pilar networking, a média 3, significa um investimento adequado. Posso melhorar, mas, como está, já é adequado. Um pilar educação com média 4 está excelente. O investimento já está bem conduzido. Para finanças com predomínio do número 2, vemos que é necessário investir mais.

Nesse exemplo, percebe-se um desequilíbrio em finanças e saúde, e que há uma adequação em networking e educação. Por que não equilibrar, subindo os investimentos para saúde e finanças?

Com isso, você já tem uma visão sobre qual dos pilares merece sua atenção. Nós finalizamos o diagnóstico e o próximo passo será a fase de planejamento, ou podemos chamar de fase de "tratamento".

5 FASES DE TRATAMENTO: VISÃO MACRO E MICRO

Se quiser derrubar uma árvore na metade do tempo,
passe o dobro do tempo amolando o machado.

Provérbio Chinês

Agora que você já tem um diagnóstico sobre os seus pilares, chegou a fase de planejamento de carreira e de tratamento; tenho algumas perguntas-chave para você responder. Divida as respostas em dois principais campos. As perguntas iniciais irão lhe proporcionar uma visão mais macro, ampla, e, em seguida, vou lhe fazer perguntas que vão lhe proporcionar uma visão mais micro, pormenorizada.

VISÃO MACRO

As respostas devem ser divididas em curto prazo, médio prazo e longo prazo e vamos considerar as seguintes definições:

- Curto prazo: até 2 anos;
- Médio prazo: 2-5 anos;
- Longo prazo: 5-10 anos.

Por exemplo, a primeira pergunta que você deve responder é: como eu me vejo? Então responda isso nos blocos de em até 2 anos, acima de 2 até 5 anos e acima de 10 anos, explorando, inicialmente uma visão macro de como vê a si mesmo nesse período, tudo bem? É muito importante fazer isso, pois é a partir desse momento que tudo começa a se tornar mais concreto e mais consciente para a sua vida, e então você vai, aos poucos, se afastando de "Alice", que não sabia onde queria chegar. Você deve saber onde quer chegar e esse planejamento é que vai fazer a diferença!

A primeira pergunta é como você se vê nos três períodos. A segunda pergunta é o que você quer conquistar. A terceira é qual a sua imagem idealizada de futuro. O seu estado ideal, seus anseios de vida.

Essas perguntas devem ser respondidas em relação aos quatro pilares: saúde/lazer, networking, educação e finanças, conforme exposto a seguir.

Lembre-se que agora suas respostas representam uma visão mais ampla, sem muitos detalhes, essa é uma visão macro. Coloque, em suas respostas, tudo que tem em mente neste momento. Se você não conseguir fazer tudo agora, pare a leitura, pense sobre isso e depois volte para continuar sua jornada.

É importante que você reflita sobre esses aspectos. A sua reflexão é que vai trazer à tona a consciência necessária para desenvolver uma educação financeira. É isso que vai dar base ao seu hábito de investidor e sua recorrência em desempenhá-lo.

A seguir, teremos outras perguntas, mas, antes disso, gostaria que você respondesse aos três questionamentos deste tópico. Reflita bem sobre isso!

RESPONDER NÃO OFENDE...

1. ***Como eu me vejo?***
   a. **SAÚDE**
      0-2 anos:
      2-5 anos:
      5-10 anos:
   b. **NETWORKING**
      0-2 anos:
      2-5 anos:
      5-10 anos:
   c. **EDUCAÇÃO**
      0-2 anos:
      2-5 anos:
      5-10 anos:

d. **FINANÇAS**

0-2 anos:

2-5 anos:

5-10 anos:

2. ***O que eu quero conquistar?***

a. **SAÚDE**

0-2 anos:

2-5 anos:

5-10 anos:

b. **NETWORKING**

0-2 anos:

2-5 anos:

5-10 anos:

c. **EDUCAÇÃO**

0-2 anos:

2-5 anos:

5-10 anos:

d. **FINANÇAS**

0-2 anos:

2-5 anos:

5-10 anos:

3. ***Qual a minha imagem idealizada de futuro?***

a. **SAÚDE**

0-2 anos:

2-5 anos:

5-10 anos:

b. **NETWORKING**

0-2 anos:

2-5 anos:

5-10 anos:

c. **EDUCAÇÃO**

0-2 anos:

2-5 anos:

5-10 anos:

d. **FINANÇAS**

0-2 anos:

2-5 anos:

5-10 anos:

VISÃO MICRO E SMART

Você já tem uma visão macro a partir do exercício que eu te propus no tópico anterior. Agora, teremos uma visão micro, mais detalhada, da saúde, lazer, networking, educação e finanças.

Isso tudo faz parte do seu planejamento de vida e de carreira para, pelo menos, os próximos 2 anos, 5 anos e 10 anos. A única pergunta que lhe faço é: quais os próximos passos a dar para conquistar tudo o que você escreveu na visão macro?

Agora, vamos à visão micro, que é o que você vai fazer. Se você estabeleceu a sua visão idealizada, como vê a si mesmo e o que deseja conquistar em cada um desses pilares, agora chegou a hora de declarar o que fará para alcançar isso. Antes, você disse o que queria conquistar, mas agora vai dizer qual esforço fará para atingir essas conquistas.

Para que você coloque isso de forma detalhada, eu vou lhe apresentar a ferramenta SMART, criada por Peter Drucker, pai da administração moderna. Esta ferramenta é muito utilizada para o planejamento estratégico, seja em empresas ou na vida pessoal.

Você deve considerar o que você escreveu como visão idealizada e aplicar a técnica SMART. Cada letra da palavra tem um significado para o planejamento estratégico.

» **S**pecific (específico)

» **M**ensurável

» **A**tingível

» **R**elevante

» **T**emporal

O **"S"** significa o que é específico; o **"M"**, mensurável, dá para medir; o **"A"** é atingível; **"R"** de relevante; e **"T"** de temporal.

Veja o exemplo a seguir:

Uma pessoa, ao responder o exercício da visão macro, percebeu que o pilar de saúde dela estava ruim, ela decidiu investir em fazer mais exercícios físicos durante sua vida. O objetivo foi, portanto, melhorar a qualidade de sua saúde. Veja como ficou na visão micro com planejamento SMART.

Specific: Iniciar natação na academia X por três vezes, durante a semana, sempre às 6h da manhã.

Viu como é específico? Antes, essa pessoa só queria fazer natação. Agora, ela quer fazer natação, três vezes por semana, na academia X (é importante definir também qual academia), às 6h da manhã. Viu como ficou mais fácil de deixar isso mais palpável?

Mensurável: Quero perder 3kg em 4 meses; ou ganhar 2 kg de massa muscular em 4 meses.

Nesse exemplo a mensuração dada é sobre quilos e tempo. Se o caso é de uma pessoa obesa, e ela opta por perder peso, pode ser colocada a perda de certa quantidade de quilos em determinado tempo, ou mesmo ganhar certa quantidade de quilos de massa muscular, ou qualquer outro fator mensurável, como "ter uma maior interação" com o familiar que vai com você. Basta ser algo que dê para medir.

Atingível: Tenho tempo para isso.

Deve ser algo que seja possível fazer. É possível colocar no contexto da pessoa do exemplo? Nesse caso, sim. Ela tem tempo disponível para isso. O que não havia antes era planejamento.

Relevante: Repercutirá sobre minha saúde no curto, médio e longo prazo e trará mais prazer.

É relevante? Você deve escrever por que é relevante esse objetivo praticado. Nesse caso, a pessoa escreveu que trará boas repercussões para a saúde em curto, médio e longo prazo e ainda trará mais prazer para a vida.

Temporal: Farei minha matrícula dia 1º à tarde.

É temporal? Sim. Você deve dizer quando vai começar, como no exemplo.

É importante que você faça o planejamento SMART para cada um dos seus objetivos de vida, mas você deve evitar o efeito pêndulo. O que é isso?

É provável que você tenha colocado uma grande lista de coisas que devem ser mudadas, sejam elas relacionadas à saúde, à educação, ao seu networking... para cada um dos seus pilares você deve ter colocado dois ou três objetivos. Se você faz o planejamento SMART para todos, há muitas ações a serem executadas. O efeito pêndulo é: você era de um jeito e agora tenta ser totalmente diferente. Isso pode não dar certo, pois vai lhe demandar muita energia e não é mentalmente saudável mudar da água para o vinho no volume de transformações que você listou.

O que fazer agora? Você estabelece apenas um dos objetivos e então executa o que está planejado na SMART. Depois que essa execução se tornou hábito na sua vida, você pega outro objetivo e executa.

À medida que o tempo vai passando, você vai vendo qual o seu nível de energia para executar cada um dos seus objetivos estabelecidos, portanto as suas anotações servirão por um considerável período da sua vida.

Anotar tudo é um primeiro passo para que você conquiste o que deseja, por isso planejar com a ferramenta SMART vai lhe proporcionar mais facilidade de executar a ação.

RESPONDER NÃO OFENDE...

Escolha seu primeiro objetivo e elabore suas metas por meio da ferramenta SMART. Utilize lápis para que após tenha alcançado, apague e refaça em relação a outro objetivo.

Specific (específico):

____

____

Mensurável:

____

____

Atingível:

____

____

Relevante:

____

____

Temporal:

____

____

A execução do planejamento torna
CONCRETO o que antes era abstrato.

Essa frase marca o conteúdo desta primeira parte do livro.

Não adianta dizer que quer mudar. Você deve dizer o por quê vai mudar, o que vai fazer e quando vai fazer.

A partir das suas respostas para cada uma dessas perguntas, o que antes era apenas abstrato torna-se concreto a cada dia. Isso depende do seu planejamento e das ferramentas que você usa para planejar e, mais do que tudo, planejamento que gera execução.

Invista em tudo isso que lhe foi apresentado agora para que você dê mais passos em prol da sua vida e da sua carreira, e nos encontramos na segunda parte do livro para que eu possa falar de algo bem interessante. Até lá!

PARTE II

AUSCUTANDO A SUA RELAÇÃO COM O DINHEIRO: CONCEITOS CLARIFICADORES

O MÉDICO QUE HÁ EM MIM
LIÇÃO II: EU ESTAVA NA CORRIDA DOS RATOS. NÃO ENTRE (OU SAIA LOGO)!

Se você acha que educação é cara, experimente a ignorância.

Derek Bok

De repente percebi que eu estava na corrida dos ratos. Reconhecer isso foi o primeiro passo para pular fora!

Flashback:

Na Lição 1, da Parte 1, te falei sobre "Erro de médico recém-formado", quando, ao comprar um carro de alto preço e aceitar pagar juros elevados ao banco, comprometi quase um ano de trabalho em prol do pagamento de dívidas;

Na lição da Parte 1, eu falei sobre o meu primeiro vacilo financeiro após terminar a faculdade de medicina. Escrevo nesse momento para continuar a história com o objetivo de deixar a você aprendizados, insights e o melhor: um compartilhamento de informações para que não precise errar como errei.

Agora de carro novo e com 24 parcelas para pagar ao banco, só me restava aplicar minha força de trabalho com veemência em atendimentos ambulatoriais e plantões. Durante o segundo semestre de 2011 e 2012 o meu início da carreira começava com muita energia e uma dívida considerável junto ao banco.

Percebi então que eu já estava na corrida dos ratos! Eu fazia atendimentos ambulatoriais na maior parte dos dias da semana, pelo menos três plantões noturnos e ainda plantões aos sábados e domingos por dois ou três finais de semana durante o mês. Este era o ciclo da minha vida como médico; atendimentos ambulatoriais iniciando às 8h das segundas-feiras e tudo novamente acontecia semana após semana.

O trabalho autônomo, portanto, sem vínculo empregatício com os hospitais, era uma constante. Isto representava uma flutuação em termos de rendimentos, pois nem todos os meses havia garantia da quantidade de plantões que eu pegaria.

Podemos nos questionar: o bem-estar é maior entre os trabalhadores independentes do que entre os assalariados? O artigo *Happiness and health: Well-being among the self-employed* (Felicidade e saúde: o bem-estar entre os trabalhadores independentes), da Pernilla Andersson, buscou responder a esta pergunta e encontrou que para a população estudada, o trabalho autônomo representava um aumento na satisfação no trabalho e, além disso, encontrou correlação positiva entre o trabalho autônomo e a satisfação com a vida. Para mim, aquilo não parecia funcionar. Talvez não pelo fato de ser um trabalho autônomo, liberal, mas sim pelo fato da minha imaturidade, pouca visão de mercado e falta de planejamento.

Lembro que após quase um ano de ter iniciado esta rotina estressante e com pouca margem para descanso e lazer, percebi que eu estava trocando vida por dinheiro. E o pior, que em algum momento eu poderia não conseguir manter meu desempenho técnico em prol dos pacientes. Era muito claro para mim, assim como é hoje, que o motivo da nossa escolha como profissional da medicina são as pessoas! E se eu começasse a fazer concessões para seguir com aquele excesso de trabalho, consequências indesejáveis poderiam acontecer para meus pacientes e para mim.

O ciclo era:

Acordar > Trabalhar > Dormir > Trabalhar > Receber salário > Pagar ao banco > Zerar o saldo bancário > Acordar > Trabalhar > Dormir > Trabalhar > Receber salário > Pagar ao banco > ...

Este ciclo é a representação prática do conceito de Corrida dos Ratos[10], de Robert Kiyosaki. Termo usado para conceituar **um exercício sem fim, autodestrutivo.**

---

10 Conceito referenciado do livro Pai Rico, Pai Pobre, de Robert Kiyosaki e Sharon Lechter (Campus, ISBN 0973540400, 2002) que faz alusão a uma esteira circular que existe em gaiolas de ratos, as quais nunca permitem deslocamento real.

Só em conhecer este conceito e saber que não é nada bom, devemos decidir sobre não entrar na Corrida dos Ratos ou, se já estiver, pensar em como sair. Sim, existe uma saída! E você já deu o primeiro passo para sair do ciclo: reconhecer que ele existe.

Sabe quando chegamos ao diagnóstico de uma doença e tudo fica melhor para conduzir? Depois do diagnóstico podemos estudar através de fontes que são acessadas com mais facilidade, afinal, sabemos exatamente o que buscar e onde queremos chegar. O caminho até a resolução do problema fica mais claro e previsível quando temos ciência do diagnóstico. Acontece a mesma coisa com problemas que aparecem durante nossa vida; primeiro nos damos conta que algo está errado! Depois temos a chance de buscar resolver ou pelo menos reduzir os danos causados.

O fato de reconhecer que entrar e/ou permanecer nesse ciclo interminável e inútil não é benéfico para ninguém torna tudo mais fácil. Permanecer em um ciclo de trabalho extenuante também é péssimo para nossos pacientes e nossa família. Como prestar bons cuidados se não estamos bem de corpo e mente? Simplesmente não é possível.

Depois que me reconheci e fiz meu autodiagnostico, fui em busca de informação, investi muito tempo e dinheiro nos últimos anos e agora vou repassar para você todos os detalhes que aprendi durante o percurso.

Você precisa saber mais sobre os conceitos que existem no que tange às suas finanças pessoais e os passos possíveis que você pode dar para construir uma vida com qualidade ao mesmo tempo que amplia sua consciência sobre sua carreira, sobre sua função na sociedade e sobre a necessidade de oferecer o que você tem de melhor para as pessoas que buscam sua atenção profissional.

Além do reconhecimento do estado atual, para avançar para um estado de melhor qualidade, é necessário atender a três pré-requisitos:

1. Ter (ou voltar a ter) satisfação durante o desempenho diário da medicina;

2. Superar os medos de novos desafios de carreira e;

3. Gerar renda passiva de forma contínua.

Se você não assegura os três itens mencionados, independente se é médico ou estudante de medicina, lamento informar, você está em uma situação desfavorável e ainda não percebeu.

Nesta parte do livro, você vai aprender conceitos importantes, por isso deve dedicar muita atenção: o que é este ciclo sem fim que muitos entram e não percebem, o que são ativos, o que são passivos, o que são investimentos em Renda Fixa e Renda Variável, e quais as diferenças entre as corretoras de valores e bancos[11].

11 HAPPINESS and health: Well-being among the self-employed. The Journal of Socio-Economics, [S. l.], ano 2008, v. 37, 1 jan. 2008. 1, p. 213-236. DOI https://doi.org/10.1016/j.socec.2007.03.003. Disponível em: Happiness and health: Well-being among the self-employed. Acesso em: 1 nov. 2019.

O EFEITO CICLO SEM FIM E AUTODESTRUTIVO 6

Muitas pessoas gastam dinheiro que não têm, para comprar coisas que não precisam, para impressionar pessoas que não gostam.

Will Smith

Será que você tem alguns elementos que contribuem para que você esteja na corrida dos ratos? Vou lhe explicar com detalhes. Mas antes enxergue só esse ciclo de trabalho sobre o qual estamos acostumados a ouvir e que nos é sugerido andar:

Estudar na escola > Fazer faculdade > Formar-se > Conseguir um emprego > Pagar os impostos > Financiar uma casa e um carro > Aumentar a carga de trabalho > Elevar um pouco mais o salário, porque é comum na progressão da carreira > Pagar mais impostos > Comprometer-se com mais dívidas > Conseguir outro emprego > Elevar o salário um pouco mais > Pagar mais impostos, porque adquiriu mais bens > Fazer mais dívidas e elevar o padrão de vida...

E então a sequência faz com que você esteja em um ciclo sem fim e autodestrutivo!

É muito comum que isso aconteça. E se agora, com uma visão crítica desse ciclo, inseríssemos elementos que nos proporcionam maior satisfação de vida? Você pode ter alguns elementos positivos desse ciclo e isto é ótimo!

O ruim é quando você apenas trabalha, trabalha e trabalha para pagar impostos e nada mais acontece.

COMPREENDENDO MELHOR O CICLO (IM)PRODUTIVO

É bem provável que você, leitor, busque qualidade de vida, e alguns elementos podem ser inseridos no ciclo para que haja mais intensidade em sua vida.

Os elementos são esses:

- **Satisfação:** ao optar por aumentar a carga de trabalho, você deve procurar uma elevação proporcional da satisfação pelos resultados que terá com o aumento do seu esforço.
- **Propósito**: quando você não tem propósito dentro da sua atividade de trabalho, há menos energia, o que é mais um fator que contribui para um ciclo desgastante
- **Superação de medos**: durante a vida você encontrará algumas barreiras (ou medos) que devem ser superados. Ao superá-los você avança para um patamar melhor quando comparado ao anterior. Quando você está imerso em um ciclo destrutivo e sem fim, sem satisfação e propósito, você não enxerga novas possibilidades para sua vida ou se vê paralisado pela inércia que insiste em envolver muitos de nós, seres humanos.
- **Geração de renda passiva**: capacidade de alocar seus recursos financeiros em algo que possa gerar lucro. Quando você está no ciclo sem fim que te toma todos os segundos, você não encontra tempo para gerar renda passiva através, por exemplo, de investimentos.

Para não entrar no ciclo sem fim e autodestrutivo, é necessário você perceber que seu trabalho contribui para a vida das pessoas, que ele também pode favorecer a sua qualidade de vida e que isso irá repercutir no seu meio.

Se isso não acontecer, que pena! Você está perdendo uma oportunidade e tanto!

Penso que você já percebeu que estar no ciclo descrito até aqui não é muito bom. Esse é um momento relevante para que você possa ter suas próprias reflexões.

E quais são os medos das pessoas que estão dentro desse ciclo?

Por exemplo, aceitar um emprego que, porventura, tenha um maior honorário, um maior salário, mas que traz junto a redução da qualidade de vida é uma espécie de medo que você não superou.

Você não superou o medo de ter um menor rendimento, e vai se submeter a um aumento da carga de trabalho, sem aumento da qualidade no trabalho e sem previsão de proporcionar melhores resultados para as pessoas. Seu medo pode estar baseado nas suas dívidas.

Um exemplo de superação de medo é o ter um negócio próprio. Se você tem uma ideia de empreender, ter uma empresa, ter um negócio próprio, isso exige a superação do medo, que é superação de um patamar teoricamente mais seguro de um emprego, onde trabalha para outra pessoa e tem o seu contracheque ao final do mês, para outro patamar: se expor ao mercado, em uma atividade oportuna e alinhada com sua visão de mundo. É o que a gente chama de empreendedorismo.

Ou então o medo de, por algum tempo, fazer uma residência médica, uma especialização, mesmo que durante aquele período haja redução dos seus rendimentos. A paralisação da carreira diante do medo faz com que você não avance para um próximo patamar.

Outro ponto importante é que, mesmo com a sua jornada de trabalho que gera um rendimento previsível, é necessário que você dedique uma parte dos seus recursos e tempo para geração de renda passiva.

A geração de renda passiva através de produtos do mercado financeiro será mais detalhada ao longo dos próximos capítulos, mas isso consiste basicamente em gerar ativos, fazer com que seus recursos permaneçam alocados em algum lugar que possa gerar mais rendimentos, algo em que você coloca seu dinheiro e ele vai gerar mais dinheiro, ou então você dedica uma parte do seu rendimento à compra de um imóvel que vai gerar um aluguel. Enfim, com muita crítica e consciência, tomar boas decisões para gerar ativos é fazer com que o seu trabalho hoje possa continuar gerando frutos ao longo dos meses através das boas escolhas de vida que você faz.

Para sair do infinito ciclo autodestrutivo, é preciso que você tenha satisfação, propósito, superação de medos para aceitar novos desafios de vida, e que você tenha uma visão para geração de renda passiva.

Existe um curta metragem que mostra um ratinho que até consegue aumentar seus rendimentos e seu crédito, isso fica subentendido, quando ele aumenta o consumo, e então adquire mais, mostra-se sensível às ofertas de mercado, ao marketing que traz uma forte associação do consumo com a sua felicidade. Ele consome desnecessariamente na Black Friday, compra um carro de maior valor - e nisso não há nada de errado, eu sempre repito! O que há de mau é o consumo não estar dentro de um planejamento, quando ele supera os seus rendimentos, ou quando o seu custo de vida é igual ou maior que seus rendimentos.

Se você tem um custo de vida abaixo do que você ganha, é provável que a sua construção de vida caminhe para a plenitude à medida que o tempo passa, porque você tem uma visão de geração de renda passiva. O consumo consciente, conforme já dito em outros tópicos, não é um problema. A questão é que quando não há planejamento de consumo, você fica compassivo aos apelos para sucessivas compras impensadas, situação repetitivamente representada no curta metragem do ratinho e isso pode lhe complicar.

Será que você consegue lembrar de alguém que está em um ciclo autodestrutivo? Se a resposta for sim, dê um exemplar deste livro de presente. Mais do que uma gentileza, este será um ato de compaixão.

É preciso consciência sobre os rendimentos e gastos, só assim você pode tomar boas decisões, alinhadas a uma boa qualidade de vida para você e para as pessoas à sua volta. Devemos buscar mais harmonia em nossas relações com os bancos, governo, patrões etc.

Uma vida desenvolvida sem julgamento, por exemplo, deixa você mais sensível às ofertas de empréstimos. Imagine uma situação em que você pega dinheiro emprestado para financiar um carro e com isso paga juros, sendo que se parasse para pensar com mais espaço para a razão, um novo carro não faria sentido para o momento atual da sua vida. O que aconteceu? O agente financiador te forneceu crédito, isto é bom, mas no lugar de utilizá-lo para abastecer um ciclo de prosperidade, você escolheu avançar para um ciclo de estresse, pois terá que aumentar a jornada de trabalho, pagar os juros e ainda não ter retorno real sobre a atitude.

Quando você não tem um raciocínio crítico aguçado, você está sujeito às intempéries e às decisões de terceiros, enquanto poderia ter benefícios. Quando você não tem uma estratégia de vida, você acaba fazendo parte de uma estratégia pertencente à outra pessoa. Ótimo é quando estratégias similares se encontram. E é assim que nascem e desenvolvem-se grandes instituições e empresas (públicas ou privadas) e países.

Se o seu propósito está alinhado a suas atividades laborais, não importa onde trabalhe e para quem, você terá uma visão de que a sua jornada de trabalho impacta positivamente o meio. Isso sim é benéfico.

Fique atento quanto a isso.

SAINDO DO CICLO SEM FIM E AUTODESTRUTIVO

Dentro do livro *Pai rico, pai pobre*, de Robert Kiyosaki, alguns elementos são citados para que você tenha, a cada dia mais, uma vida plena e possa sair da corrida dos ratos:

- **Investimento;**
- **Contabilidade;**
- **Marketing e;**
- **Direito.**

Um dos elementos que estão elencados você já está construindo, investimento, e eu lhe parabenizo por isso.

À medida que você avança e aprende mais sobre investimento, direito, contabilidade e marketing, você aumenta as chances de ter uma vida com mais qualidade.

O conteúdo sobre investimentos aqui apresentado é denso o suficiente para que você fortaleça este pilar na sua vida.

Saber também sobre contabilidade vale muito a pena para a consolidação da sua carreira e para um melhor direcionamento dos seus recursos. Quanto você paga de imposto de renda? Quanto poderia otimizar descontando dos itens saúde e investimentos em educação? Quanto você poderia direcionar para doação?

Ter conhecimento sobre contabilidade e sobre as leis que volta e meia são acrescentadas ou retiradas vale a pena para o desenvolvimento de carreira e de vida. Para ter conhecimento sobre isso, você pode procurar pessoas que te ajudem, como contadores e consultores. Faz toda a diferença!

Se você já tem conhecimento sobre isso, pode declarar o seu próprio imposto de renda, mas se não tem, contrate um profissional da contabilidade para te prestar uma consultoria, existem dúvidas que poderiam ser sanadas com rapidez e assim seu dinheiro poderia ser mais bem aproveitado. Saber quais valores podem ser descontados tanto em relação ao seu imposto de renda de pessoa física quanto jurídico é importante. Como organizar o livro caixa, entre outros, são detalhes que o contador pode lhe fornecer e que vão fazer diferença nos seus rendimentos, em relação ao montante do ano.

Sobre seus direitos, há alguns em que o contador também pode te ajudar. Você tem muitos direitos que talvez nem usufrua, como, por exemplo, desconto em veículos, a depender de sua condição física, descontos no IPTU etc. Na sua cidade deve haver algumas leis específicas para isso, e conhecer os seus direitos, seja na aquisição de cartões de crédito, quanto deve pagar de impostos, direitos municipais, estaduais e federais, enfim, você deve ficar atento quanto a todos eles para ter uma vida com mais performance no direcionamento dos seus recursos.

O marketing, por sua vez, tem a ver com a apresentação do que você pode oferecer em termos de trabalho que possa influenciar na sociedade. Ter ferramentas que evidenciam o seu trabalho e mostrar para as pessoas a sua capacidade é marketing. Nisso não há nada de errado.

O ruim é quando você apresenta o que não tem competência para fazer, isso é, um marketing utilizado de forma inadequada, mas não há nada de mau em deixar muito claro, dentro dos preceitos éticos, que você pode oferecer um bom serviço. Um bom marketing faz com que você seja visto pelo mercado e isso pode lhe gerar boas oportunidades de vida e de trabalho e, consequentemente, melhores oportunidades de remuneração.

Entretanto, é importante que você tenha canais que mostrem você ao mercado, e falo "mercado" porque é uma forma genérica de você se apresentar ao meio, à sociedade, e são essas formas que geram oportunidades.

Você usa suas redes sociais virtuais também com o propósito de ter um networking?

Eu explorei um pouco mais sobre isso quando falei sobre os 4 pilares do investidor. Networking é um deles, e usar redes sociais para ter um posicionamento mais efetivo é fazer marketing. Dentro do código de ética médica e de forma mais precisa, no manual de publicidade médica, existem ditames para que o marketing médico seja feito de forma adequada. Acesse o manual no site do Conselho Federal de Medicina. O conteúdo foi elaborado para dar diretrizes de como deve ser sua comunicação e você deve estar atento quanto a isso.

Marketing, portanto, é um dos elementos importantes que vai ajudar você a alavancar os seus recursos financeiros!

Você pode estar agora em um estado de tensão, afinal são algumas variáveis que você precisa avançar e elas não estavam no seu planejamento. É isso mesmo, a informação gera consciência e essa produz desconforto e ações práticas. Um lance é certo, se você até este momento da vida não teve acesso a informações básicas sobre os temas citados aqui, isto é um sintoma de algo maior; um sistema educacional que precisa ter maior conexão com a realidade das vidas das pessoas. Precisamos subir na pirâmide que representa a hierarquia de competências, proposta por Martin M. Broadwell[12].

HIERAQUIA DE COMPETÊNCIAS

12 Fonte: Broadwell, Martin M. (20 fevereiro 1969). "Ensinar para aprender (XVI)". wordsfitlyspoken.org. The Guardian Evangelho. Retirado 11 de maio de 2018.

OS QUATRO ESTÁGIOS DE COMPETÊNCIA

***Incompetência inconsciente*:** neste estágio nem sabemos o quanto não sabemos. É como se você não soubesse o tratamento da Doença de Crohn e nem mesmo soubesse que ela existia! Você só conseguirá avançar para o próximo nível se for sensibilizado para existência da mesma. Se você não sabia nada sobre investimentos e nem mesmo sabia que precisava saber, você estava neste estágio para este tema.

***Incompetência consciente*:** agora você não sabe ao certo o que fazer, mas pelo menos já sabe que há um problema. Você não sabe tratar a Doença de Crohn, mas pelo menos já sabe que ela existe ou, para o caso de investimentos, você não sabe exato como investir, mas sabe que precisa estudar para saber.

***Competência consciente*:** agora você já tem competência para desenvolver algo, muito embora ainda haja necessidade constante de certificação ou aconselhamentos de terceiros para validação da intervenção. Seria algo equivalente ao último ano de residência médica, quando o médico já reúne competência considerável na especialidade, mas ainda há necessidades de ajustes finos por parte do preceptor. A prática o levará para o próximo estágio. Até o final do livro você saberá os passos para realizar seu primeiro investimento em Renda Fixa, mas só a consistência e o estudo constante vão te dar maior segurança para que você faça investimentos mais robustos.

***Competência inconsciente*:** nesta fase há incorporação de grande competência para o desempenho de uma função. A execução fica natural e há grande sensação de certeza sobre o que está sendo feito. Na medicina, nos investimentos e na vida temos que ter a humildade de não sermos traídos pelo excesso de confiança, mas eis a pirâmide de consciência que fornece um modelo para que você possa pensar sobre aprendizados constantes.

SISTEMA EDUCACIONAL FALHO

Nosso sistema educacional regular – escola, faculdade, graduação, pós-graduação – não está direcionado para lhe fornecer base teórica para o desenvolvimento de uma boa inteligência financeira. Isso faz com que alguns conceitos sejam deturpados na sua mente, como já foram na minha em outro momento.

O que é ser uma pessoa bem-sucedida?

Para a sociedade, é basicamente aquela pessoa que aumenta o poder de compra.

Figura 4: Patrimônio real é formado pelos bens menos as dívidas.

O patrimônio real corresponde aos seus bens menos suas dívidas, entretanto alguns ainda entendem que o fato de comprar coisas representa um enriquecimento. Isto não é verdade. O aumento do consumo pode acontecer apenas pelo aumento do crédito.

Se um fictício Dr. Antônio financia a compra um carro do ano, um apartamento ou uma casa, pessoas em sua volta tendem a classificar que ele está rico, ou pelo menos está ficando rico. Nesta perspectiva, o contrário está acontecendo, além da dívida do preço do bem, somam-se os juros do financiamento. Mais do que bens, o Dr. Antônio passa a ter dívidas.

Uma pessoa bem-sucedida é aquela que consegue contribuir para ela mesma, para os seus familiares e para o seu meio sem assumir uma rotina autodestrutiva.

Essa noção de pessoa bem-sucedida deve ser mais aguçada a partir desse momento na sua mente e para que isso aconteça com todos, as pessoas têm que buscar conhecimento. Ao ler um livro, você está aumentando a sua capacidade de decisão, aumentando a sua inteligência financeira, para fazer melhores escolhas e não associar necessariamente o acúmulo de bens de consumo com a noção de pessoa próspera.

Pessoa afortunada é aquela que tem propósito no seu trabalho, que repercute positivamente no seu meio, e ainda tem satisfação no que faz, e que, ao longo do tempo, gera patrimônios e renda passiva que crescem exponencialmente, proporcionando uma melhor qualidade de vida a si e aos outros.

Então, embora haja um sistema educacional falho, a cada dia temos novas possibilidades de aprendizados e a chance de construir uma nova mentalidade que abrange a necessidade de buscar informações não encontradas em outras instâncias.

Você já ouviu, na escola, algum professor falar sobre educação financeira?

Talvez algum familiar seu tenha vivenciado isso, mas, na maioria das famílias, isso não acontece. Por ocasião da sua graduação, já conversaram sobre carreira? Já conversaram sobre como montar seu negócio ou sobre empreendedorismo?

São grandes as possibilidades de mercado que temos hoje, e, na nossa formação, isso não é contemplado. Há um foco maior na parte técnica, porém, na vida real, precisamos de várias competências.

O sistema educacional regular pode deixar a desejar, mas você tem autonomia e possibilidade de acessar livros físicos, audiolivros e, com a tecnologia, de encontrar informações de qualidade a partir do e-learning.

O LEITOR QUE HÁ EM MIM

Como sugestão de leitura, indico o livro *Pai Rico, Pai Pobre*, dos autores Robert Kiyosaki e Sharon Lechter, que serviu também de referência para este capítulo. A obra vai lhe dar uma maior inteligência financeira. O livro aborda o poder da educação financeira e a importância de dividir conhecimentos com os filhos, preparando-os financeiramente para o mundo, evitando alguns problemas e construindo com isso um patrimônio por gerações.

Os três aprendizados que você não deve esquecer:

1. Investir em conhecimento.

A longo prazo, a educação vale mais do que dinheiro. Isso é muito claro para mim, e gostaria que ficasse claro para você também. O mercado e a economia são flutuantes. Em momentos de uma boa oferta de mercado de trabalho encontramos boas chances para desempenhar alguma função e por ela ser remunerado, vivemos também alguns momentos em que oferta cai e nestes há uma dificuldade maior. Se você tem uma boa inteligência de forma geral, incluindo uma boa inteligência financeira, você tem uma maior capacidade de tomar boas decisões. Essas boas decisões vêm sendo tomadas em todos os momentos – nos períodos de bonança e nos de crise. Isso reduz as chances de que você sofra forte impacto vindo da economia. Com uma boa inteligência financeira, você vai tomando boas decisões e, independente da flutuação da economia, sofre pouco impacto. Normalmente, quando a economia vai mal, a pessoa que tem visão de longo prazo para investimentos tem melhores rendimentos. Sabe por quê? Por que a maioria das pessoas estará com dívidas. Nesse momento, os bancos e o mercado de uma forma geral vão precisar de recursos, e se você tem recursos para emprestar, você o fará e terá mais lucros. Isso vai ficar muito claro quando falarmos das opções de investimento em Renda Fixa em detalhes, e você saberá, do começo ao fim, como investir e visualizará, nas simulações, quanto de juros temos no período de crise e no período sem crise, percebendo que no primeiro é possível obter muito mais lucros, pois o mercado precisa de dinheiro e você vai ser a pessoa que vai emprestar o dinheiro, e não a pessoa que vai pedir dinheiro. Então, quando você investe em conhecimento para fortalecer a sua inteligência financeira, você vai tomar decisões, a cada dia, que vão deixar você protegido, além de proteger seu capital.

2. Trabalhe para aprender.

Isso não é contrário a trabalhar para ganhar dinheiro; a depender do seu nível de carreira, talvez até você já tenha feito isso muitas vezes. Se você é médico-residente ou estudante de medicina, com certeza já fez muito isso e talvez ainda continue fazendo. Na época da graduação de medicina e, com mais ênfase, no internato médico, você faz estágios pelo menos dois anos para um hospital, para uma unidade básica de saúde ou para um ambulatório com fins de aprendizado. O seu trabalho é importante para aquele meio, mas você não é remunerado na fase de práticas acadêmicas, e muitas vezes está até pagando, no caso das universidades privadas. Contudo, o conhecimento que você adquire durante aquele período vai fazer toda a diferença para sua carreira. Quando você termina sua graduação e parte logo para a residência médica, você tem uma bolsa de residente, mas não necessariamente tem um salário. Entretanto, o conhecimento que você adquire durante o período de residência médica é exponencialmente maior que na graduação, e isso também repercute na sua carreira. Em um dado momento, virão os frutos. Mesmo após a residência médica, você tem várias oportunidades de fazer algum trabalho, seja voluntário, seja como monitor de um eventual curso, ou ainda ajudando, recebendo dentro do seu ambiente de trabalho estudantes de medicina e até mesmo residentes, e não necessariamente você é remunerado por essa atividade. Aliás, muitos dos preceptores de medicina dos hospitais e das unidades de atenção primária a saúde trabalham como voluntários. Eles não recebem honorários para acolher estudantes de medicina ou residentes, e isso não necessariamente é pago em dinheiro, mas acaba alavancando sua carreira, ao fazer com que haja maior motivação para se manter estudando, uma vez que você tem outras pessoas mirando no seu exemplo, além de ir lhe tornando referência na área. Então, mesmo que você trabalhe para ter bons rendimentos e melhores honorários, tenha essa visão também. Você vai ter, ao longo da sua jornada, a possibilidade de trabalhar sem necessariamente receber recursos financeiros, mas sempre haverá um aprendizado que vai também gerar oportunidades de vida.

3. Pague a si mesmo.

Neste livro, em nenhum momento há intenção de que o seu planejamento financeiro represente uma forma de punir você pelo trabalho. Planejar-se financeiramente é poder manter o consumo que lhe traz felicidade e que lhe traz um melhor bem-estar, mas isso dentro de uma porcentagem dos seus honorários. O ruim é quando você faz o pagamento para si, gastando tudo o que ganha no mês e não tem a visão de longo prazo para a geração de renda passiva. Quando eu abordar sobre a formação de carteira de investimento e a divisão em porcentagem dos seus honorários, vai ficar mais objetivo para você quanto pode ser o seu pagamento, e isso, de forma superficial, é a quantidade de dinheiro que você pega e gasta sem uma criticidade maior. Digamos que você decida que 5% do seu salário será gasto com o que você quiser. Isso é uma forma de planejamento financeiro não punitivo. Você continua tendo um consumo, mas dentro do limite e alinhado com outros aspectos da gestão financeira pessoal, de busca de uma melhor qualidade de vida e de uma renda passiva suficiente ao ponto de você ter uma aposentadoria na idade que você planejar. Pagar a si mesmo é ter uma parte pequena do rendimento reservada para poder ser usado na aquisição de bens que lhe dão uma melhor sensação de qualidade, mas isso dentro de um planejamento. O que você não deve fazer é deixar que o seu planejamento financeiro tenha um cunho punitivo – você ganha e não pode gastar. Isso não pode acontecer.

Mas não basta apenas investir em conhecimento, é importante também saber se conduzir em alta velocidade.

PISTA DE ALTA VELOCIDADE

O antônimo da Corrida dos Ratos é a Pista de Alta Velocidade. Neste momento, você está comigo, de frente para essa pista e, ao longo da leitura deste livro, lhe convido a passar uma marcha e aumentar a sua velocidade.

Você consegue entrar na pista de alta velocidade quando consegue sair do ciclo infinito e autodestrutivo e assim avança por novos caminhos.

A pista de alta velocidade é o que você deve buscar, e isso só é alcançado com o aumento da criticidade, da inteligência financeira e da inteligência técnica da nossa profissão médica.

A geração de renda passiva, ou seja, investir em ativos, é uma ação que deve fazer parte da sua rotina de investidor que objetiva conquistar a independência financeira.

ATIVOS E PASSIVOS

7

Uma jornada de mil quilômetros precisa começar com um simples passo

Provérbio Chinês

A partir dos conhecimentos sobre o que são ativos e passivos, você terá uma visão muito melhor de tudo o que consome: bens de consumo, investimentos etc. Com isso você terá melhores oportunidades e poderá fazer melhores escolhas.

PASSIVO É TUDO O QUE TIRA DINHEIRO DE VOCÊ

Ao ter um carro, a depender de quanto ele custa, você vai ter um maior ou um menor passivo. Você terá que pagar a gasolina que consome mensalmente, e isso vai lhe tirar uma parte do seu recurso. Terá que pagar o IPVA, os impostos relacionados à compra e o seguro do carro. Com isso, já deu para perceber que passivo é o que tira dinheiro da sua conta.

Se você efetuou a compra de um imóvel para morar nele, isso é um passivo. Você terá que pagar o IPTU, as prestações do imóvel, se ele tiver sido financiado, e os juros das prestações do imóvel. Impostos, manutenção, seguros, entre outros, são passivos que tiram dinheiro do seu bolso. É diferente de um bem de consumo normal. Se você compra um computador, você fez aquele gasto e obteve um bem de consumo, mas não necessariamente um passivo. A partir da aquisição de um computador, não obrigatoriamente, a cada mês, você terá que pagar algo para tê-lo. Você já fez aquele pagamento total no ato da aquisição. Então, o passivo geralmente gera gastos recorrentes. O fluxo de caixa tende ao negativo se houver predominância de passivos.

O conceito de passivo é simples:
tudo o que retira do seu fluxo de caixa.

OS ATIVOS SÃO OS OPOSTOS

Ativo te gera mais recursos. A casa é um exemplo que pode ser também um ativo. Se você compra um apartamento, seja qual for o porte, e o objetivo disso é o recebimento de aluguel, com essa locação você terá um recurso a cada mês, e isso é um ativo. Você pagou pelo imóvel e está recebendo dividendos por conta do aluguel. Nesse caso, portanto, o imóvel é um ativo.

Se você efetua a compra de um título do governo, e aquele título é um investimento, você tem, portanto, um ativo. Para o governo, vai ser um passivo, porque você emprestou ao governo e o governo lhe tomou emprestado, então você terá o dinheiro de volta mais os juros que conseguiu, e o governo terá que pagar de volta seu dinheiro, mas com os juros que ele combinou (vou mostrar mais adiante como fazer isso). Você pode ser um credor ou um devedor do governo.

Com os bancos é a mesma coisa. Se você empresta dinheiro ao banco, você passa a ter os lucros daquilo que emprestou, e você será um passivo para o banco, pois ele terá que lhe pagar.

Cabe a você decidir se terá ativos predominantemente, produtos que geram lucro para você, ou passivos, pedir dinheiro emprestado ou comprar bens que te arrancam recursos. Até por que é muito fácil acumular passivos e nem perceber.

Em síntese, os conceitos de ativo e passivo podem mudar a relação entre as partes, por exemplo, entre você e o governo. Quando você compra um título público, você está emprestando ao governo. Quando pede emprestado ao banco, você está sendo devedor, gerando passivos. Se você tem uma empresa, se tem um produto à venda, se tem uma patente, se tem um livro publicado, itens que lhe geram lucros recorrentes, você tem ativos.

> Ativo é tudo o que você pode deixar lá sem necessariamente aumentar sua carga de trabalho, mas que gera retorno em rendimentos.

Normalmente, quando se tem uma ideia bem clara sobre o que são ativos e passivos, como você tem agora, há uma ânsia em investir logo, e isso vem acompanhado de algumas dúvidas, que chegam de forma recorrente a mim. Entretanto, as respostas não são simples.

Veja se você tem ou já teve em mente, em algum momento, essas perguntas quando pensou em investimentos:

- **Qual o melhor investimento para quem tem X reais?**
- **Qual o melhor investimento hoje?**
- **Quanto devo juntar para minha aposentadoria?**

Bem, essas perguntas não têm respostas precisas, por isso que, antes de investir, é preciso consolidar nossa inteligência financeira, pois, a partir dela, teremos as melhores respostas para o investimento que surgir.

Qual melhor investimento para quem tem dez mil reais?

Isso é muito variável! Você tem um capital que lhe dê a segurança em deixar dez mil reais aplicados sem ter a necessidade de tirá-los no médio ou no curto prazo? Se você investir essa quantia sem ter um capital de segurança, ao menor sinal de necessidade, você pega de volta o que alocou em algum investimento. Ao retirar antes do prazo, você terá alguma punição como não ganhar os juros ou pagar um imposto de renda maior.

Então, para alguém que tem dez mil reais, talvez o melhor investimento seja a poupança (reforçando a ideia que poupança muitas vezes não corrige a inflação e outras só consegue empatar com a inflação perdendo, portanto, o poder de compra – é preciso analisar as condições atuais), para outra pessoa pode ser uma ação, para outra, um Tesouro Direto, um CDB, outro um LCI ou LCA.... É bem variável essa resposta.

Qual o melhor investimento hoje?

Para responder, é necessário analisar a taxa de juros hoje. Quanto você vai ter de retorno sobre o investimento hoje? Quais os juros que o investimento pelo qual você optar por fazer está tendo hoje?

Os juros não são fixos, mas sim variáveis. Embora se chame Renda Fixa em alguns investimentos, há certa variação no dia em que você vai investir. A resposta para "qual o melhor investimento hoje" se refere ao hoje, não ao amanhã, nem ao ontem. Você terá que ter critérios para tomar essa decisão. Tais critérios serão abordados ao longo dos capítulos.

Quanto devo juntar para minha aposentadoria?

Você tem que analisar em quanto tempo você quer se aposentar. Não há uma resposta como “você precisa de um milhão para se aposentar”. Se você quer se aposentar daqui a cinco anos, você precisará de uma quantidade de recursos hoje. Por outro lado, se quiser se aposentar daqui a vinte anos, precisará de outra quantidade de recursos, um investimento recorrente. Mas uma coisa é certa: quanto mais investimentos você faz hoje para a geração de ativos, menor é o tempo utilizado para chegar a uma aposentadoria, que é um momento em que você vai ter uma renda passiva, ao ponto de pagar a sua qualidade de vida. Esse é o conceito de independência financeira.

Se a sua qualidade de vida é mantida com gastos de dez mil reais por mês, e você tiver essa quantia em rendas ativas, ou seja, geradas sem necessidade de você trabalhar, você chegou à sua independência financeira. Se o seu gasto recorrente são cinco mil reais por mês, a partir do momento em que você tiver essa quantia a partir de rendas passivas, você chegou à sua independência financeira.

Perceba que a independência financeira é atingida a partir do momento em que você estabelece um equilíbrio entre seus gastos e seus ganhos, quando estes vêm não necessariamente do seu trabalho atual, mas sim de uma renda passiva, pois você dedicou recursos a investimentos: imóveis, Renda Fixa, Renda Variável. Se sua qualidade de vida custa vinte mil reais por mês, obviamente você terá que ter mais recursos alocados para que esses ativos gerem essa quantia.

Lembre-se, quanto mais recursos você dedica hoje aos investimentos, menor é o tempo que você leva para chegar à independência financeira, configurada, portanto, como uma aposentadoria.

Se você quer ter independência financeira aos quarenta anos, mais esforços têm que ser feitos hoje. Se você quer uma aposentadoria aos 60 anos, um pouco menos de esforço você terá que fazer hoje, pois precisará investir menos recursos por mês.

Quanto exatamente vou ganhar se eu investir nisso ou naquilo?

Se é uma Renda Fixa, você tem uma maior previsibilidade. Se é uma Renda Variável, vai depender do mercado. Então, não há como responder, de forma direta, quanto vou ganhar se investir nisso ou naquilo. Isso vai depender do dia e de qual investimento.

A figura que mostra ativos e passivos representa muito bem como você deve empreender os seus esforços em busca da construção de um patrimônio. Você deve direcionar mais recursos e esforços na construção de ativos, porque, à medida que o tempo vai passando, você chegará a um estado de equilíbrio entre ativos e passivos, até chegar ao ponto em que, tendo muitos ativos, você atingirá a independência financeira.

Pense nessa balança e na construção de ativos a cada dia, a cada mês e toda vez que entrar um recurso na sua conta. Pense que pode alocar uma parte disso na construção de ativos.

Veja a figura que representa o ciclo virtuoso. Como isso acontece? Você tem uma renda mensal, que é direcionada ao seu consumo, como alimentos, carro, IPTU, energia etc. Não há como fugir desses passivos, mas uma parte dos seus recursos deve ser direcionada para a construção de ativos, por exemplo, investimentos.

Quando você alcança esse patamar, onde uma parte dos recursos é direcionado para a construção de ativos, você está dentro de um ciclo virtuoso, que está alinhado ao que você busca para sua vida.

Se você está num fluxo em que a renda só serve para a aquisição de passivos e para bens de consumo, e nenhuma parte da sua renda está direcionada para a construção de ativos, você está num fluxo de endividamento.

Lembre-se dessa equação: seu patrimônio é igual aos seus bens menos suas dívidas! Se você só adquirir passivos, você não está em um ciclo virtuoso, em que poderá, em um dado momento, gerar a sua independência financeira.

RESPONDER NÃO OFENDE...

O exercício deste capítulo é simples. Faça uma coluna para ativos e outra para passivos.

Não sei se você já fez algum investimento, mas, se já fez, já tem algo a colocar na coluna dos ativos, coisas que lhe geram renda.

A coluna dos passivos costuma ser maior, num primeiro momento.

PASSIVOS	ATIVOS

Depois de listá-los e identificar o que gera para você um ciclo virtuoso e um ciclo de endividamento, você vai fazer uma prática simples que vou resgatar dos pilares do investidor.

Releia a coluna que lista os passivos e selecione o que você classifica como desperdício (essa classificação é muito individual) e busque eliminar esses itens, o que já fará sobrar algum recurso para os próximos meses.

Ainda entre os passivos, classifique o que você considera supérfluo. Normalmente, é possível achar supérfluos entre os bens de consumo. Depois de listados, decida o que vai ser eliminado e o que será reduzido.

Classifique também os itens que considera necessários. Estes deverão ser otimizados. Por exemplo, um carro, para você, é provavelmente um passivo necessário. Você não vai eliminar um carro se depende dele para se deslocar. Entretanto, você pode otimizar com ações como ter um melhor planejamento nas revisões, para que não passe do período correto e tenha que gastar mais e trocar o óleo nas datas previstas, para que não haja maior consumo de gasolina. Outro exemplo é seu celular. Se tem um plano de dados que nunca costuma consumir, você pode tentar escolher um plano melhor. Só você poderá fazer a seleção acurada desses pontos.

Relembrando o exercício: Liste os ativos de um lado e os passivos de outro, depois pegue a coluna dos passivos e classifique cada um deles em desperdício, supérfluo ou necessário. Os desperdícios você elimina, os supérfluos você elimina ou reduz, e nos necessários você otimiza os recursos. Assim, já vai sobrando um dinheiro para alocar nos investimentos que desejar.

DESPERDÍCIOS	SUPÉRFLUOS	NECESSÁRIOS

Alguns dos investimentos de Renda Fixa você conhecerá neste livro, mas durante toda sua vida você manterá os estudos e novas oportunidades de investimentos surgirão. Hoje você deu um grande passo realizando os exercícios propostos neste capítulo. Você perceberá o quanto de passivos tem, e muitos dos quais você nem percebia!

RESPONDER NÃO OFENDE...

O que você fará para entrar em um Ciclo Virtuoso?

____

____

____

____

____

8

RENDA FIXA E RENDA VARIADA

As oportunidades multiplicam-se à medida que são agarradas.

Sun Tzu

Neste momento, você vai conhecer o que classifica um investimento como sendo de Renda Fixa ou Variável. Esta publicação tem o foco na Renda Fixa. É nesse tipo de renda que você vai aprender a investir através das principais opções do mercado, mas é importante você conhecer o porquê dos nomes Renda Fixa e Variável.

Na Renda Fixa, ao investir, você já tem maior previsibilidade de rendimentos e pode prever de forma mais precisa o quanto será gerado até o final do investimento.

A Renda Fixa é tida como uma opção mais segura justamente por isso. Normalmente é atrelada a um indexador (você saberá, em breve, o que é isso), e isso dá uma maior segurança para você saber que, ao investir X reais hoje, no futuro você terá X reais mais os juros que já estavam previstos no momento de efetuar o investimento. Pode haver pequenas variações no lucro que você terá, mas, mesmo que elas existam, ainda cabe a classificação de Renda Fixa.

Na Renda Variável, há previsibilidade limitada sobre ganhos e perdas.

Sobre a Renda Variável, existe possibilidade de ganho mais expressivo, contudo, essas oportunidades de resultados andam junto com o a possibilidade de haver perdas significativas, sobretudo se você não tiver conhecimento para aplicar bons critérios na hora da escolha.

Em Renda Variável não se aplica a incrementos como "juros" e sim valorização ou desvalorização do ativo conforme as expectativas do investidor em relação à empresa. Além da valorização ou desvalorização, cada empresa tem sua política de remuneração dos investidores com dividendos, juros sobre capital e bonificações. A bonificação é a distribuição gratuita de novas ações aos acionistas de uma empresa. Essa divisão se dá em cima do aumento de capital de uma sociedade, mediante a incorporação de reservas e lucros, quando são distribuídas gratuitamente novas ações a seus acionistas, em número proporcional às já possuídas. Isto é, o acionista não recebe dinheiro, mas sim, ações.

O grande exemplo de uma Renda Variável é o investimento em ações. Quando alguém compra ações da Petrobrás, por exemplo, ela pode ter suas ações valorização elevada, como quando a ação custava sete reais e, de repente, passou a custar dezesseis reais e depois vinte e sete reais, o que representa mais de duzentos por cento de valorização da ação, em um período relativamente curto. Entretanto, se você compra no período em que a ação custa vinte reais e acontece alguma ingerência do governo, uso político da empresa ou mesmo de influência do preço do barril do petróleo no mercado internacional, isto reflete diretamente no preço das ações para a alta ou para a baixa, consequentemente o valor das ações da empresa vão ser alteradas e você, que adquiriu por vinte reais uma ação, vai ter o montante que comprou também alterado para mais ou para menos.

Há que diferenciar também "valor" e "preço" do ativo que muitas vezes não estão alinhados. É uma falácia quando escutamos no Jornal que a Petrobrás ou qualquer outra empresa (Vale, BB, Itaú etc.) perdeu "x" bilhões do valor de mercado porque as ações da empresa se desvalorizaram 10%, 15% em determinado mês, semana ou dia. Da mesma forma quando as ações se valorizam 10%, 15% ela não ganhou "x" bilhões. O valor da empresa permaneceu inalterado tanto na valorização das suas ações quanto na desvalorização das suas ações em determinados pregões na bolsa. O que impacta o "valor" da empresa é o quanto ela gera de retorno para os seus acionistas e o preço das ações no longo prazo acompanha o valor da empresa. Esta é a visão do acionista, ao contrário do especulador da bolsa.

O especulador não se preocupa com os fundamentos da empresa. Ele quer ganhar na variação do preço de curto prazo, ele não quer ser sócio da empresa. Há que distinguir eventos que influenciam o preço das ações de eventos que influenciam o "valor" das ações. Um exemplo foi o que aconteceu na Vale em virtude da tragédia de Brumadinho. Na ocasião, a empresa se viu sujeita a duelos judiciais e com isso a possibilidade de desembolsar alguns bilhões para indenizar as vítimas, reparar os danos ambientais causados, além das milionárias multas dos órgãos ambientais. O resultado é que, após o incidente, as ações caíram 30% no primeiro pregão da bolsa devido às incertezas de como a empresa iria resolver os danos causados. Este evento afetou de imediato tanto o preço como o valor das ações da empresa.

Existe um grande risco de ganho alto e um grande risco de perda alta, por isso se chama Renda Variável, uma vez que depende do fluxo de mercado. Aqui é preciso diferenciar o investidor que não dá a mínima para a oscilação dos preços no dia a dia. O investidor olha o longo prazo como sócio da empresa e vê uma oportunidade de comprar mais ações quando ele cai. O investidor tem mecanismo de proteção para diluir o risco da sua carteira de investimento.

Na Renda Fixa, é difícil que aconteçam esses picos e vales intensos. O que pode acontecer é você não ganhar o esperado. Considere também que os ganhos reais podem ser vistos quando se excluir a inflação do período, com isso há argumentos pertinentes para atribuir à Renda Fixa um certo risco de rendimentos negativos. Como isso acontece? Assim... o cenário de um mercado que tem taxa de juros da economia em queda ou alta da inflação, afeta diretamente os rendimentos das aplicações. Uma rentabilidade de 3.5% a.a com uma inflação de 4% a.a representa juros negativos de 0,5%. Atualmente a Alemanha, Japão e outros países têm aplicações de juros negativos; nestes cenários, o investidor apenas consegue limitar o dano da inflação ou da baixa da taxa de juros do mercado sobre seus recursos aplicados.

A Renda Variável exige um nível de conhecimento um pouco maior, porque os critérios são mais minuciosos na hora de escolher qual ação comprar em uma Renda Variável. É por isso que este tema não faz parte do livro, o qual é destinado para você que tem conhecimentos básicos e quer fazer seus primeiros investimentos ou para você que deseja ter mais critérios para investir em Renda Fixa, e é sobre ela que ampliaremos o assunto.

FUNDOS DE INVESTIMENTOS

Agora que você já sabe que existem a Renda Fixa e a Renda Variável e sabe os conceitos que envolvem cada uma, vamos adentrar o conceito de fundos de investimentos.

O que são fundos de investimentos? Um administrador faz uma carteira de investimentos, pega ações de várias empresas e chama isso de fundo de investimentos baseado em Renda Variável. Você pode passar a ser cotista do fundo, pagar uma taxa de administração e com isso ser remunerado pela valorização da cota do fundo. Não há distribuição de lucros e dividendos.

O que ele faz é diversificar com várias ações e consequentemente reduzir o risco, pois, se uma empresa quebrar, há outras dando sustentação. Se você não tem conhecimento suficiente para investir de forma segura ou quer variar os seus investimentos, você compra um pedaço desse fundo de ação.

Pode haver também um fundo de investimentos multimercados com uma parte dos recursos tendo Renda Fixa, e a outra parte tendo Renda Variável. A depender de qual instituição você escolher, haverá uma taxa de administração. Fundos de Renda Fixa investem majoritariamente em títulos públicos.

FOCANDO EM RENDA FIXA

Como este livro é voltado para Renda Fixa, uma pergunta que você pode fazer é:

- Quanto renderão meus investimentos em Renda Fixa?

Existem alguns produtos de Renda Fixa e cada um deles com pagamento de juros específicos para o investidor.

Se você respeitar o período que combinou no dia do investimento, por exemplo, dez anos, não retirando dinheiro antes desse vencimento, receberá os juros combinados. Se tirar antes, você poderá ser penalizado, não recebendo os juros acordados. Cabe destacar que para Títulos do Tesouro Selic, mesmo que o vencimento ainda esteja longe, se ele for resgatado antes, ele será rentabilizado pela Taxa Selic do período aplicado. Se for IPCA mais juros, devido a distorções do mercado, ele pode pagar até mais no caso de alta de juros. Em situações de queda de juros da economia em que eles estão abaixo do que o título previa, aí sim, o investidor vai receber menos que o valor investido. O investidor poderá receber menos a depender do valor do título no dia do resgate.

Normalmente, a Renda Fixa consiste em emprestar dinheiro que pode ser a uma empresa, um banco ou o governo. Se você respeitar o período combinado, você recebe os juros que foram estabelecidos no momento do investimento.

Na Renda Fixa, cada tipo de investimento rende certa porcentagem, apresentada no dia que você optar por fazer o investimento. Existe o que se chama de taxa de juros pré-fixada ou pós-fixada ao indexador. O que significa isso?

Hoje eu posso comprar um produto com **juros pré-fixados** e já saber que vou ter, por exemplo, 12,5% daquele investimento como retorno a cada ano. Isso é um rendimento pré-fixado. Ainda posso ter **juros pós-fixados** atrelados a um indexador.

Os indexadores são os padrões ou referências aos quais os recursos estarão atrelados.

Por exemplo, a inflação. Há uma opção de investimento em que você coloca dinheiro e a organização que está pedindo emprestado acorda que lhe pagará a inflação somada a alguns juros. Isso faz com que você tenha proteção do seu patrimônio. Se você investe dez mil reais em um investimento que tem como indexador o IPCA (Índice de Preços ao Consumidor Amplo), então você mantém o poder de compra afetado pela inflação e ainda recebe os juros adicionais previstos no produto de investimento.

Por exemplo, há um título do Tesouro Direto que paga "IPCA mais juros", ou seja, ele protege o seu dinheiro contra a inflação, que é o seu poder de compra. Se no ano a inflação foi 10%, é isso que ele vai pagar, mais os juros combinados; 5%, 3%... vai depender do dia. Ex.: IPCA +5% em 10 anos significa que você vai receber juros anuais de 5% + a porcentagem da inflação para o ano.

Nos investimentos existe algo chamado risco de crédito. Todo investimento tem um risco de crédito, na Renda Fixa não é diferente, contudo, o risco é mais baixo. Mas qual o risco de crédito da Renda Fixa? Risco de você emprestar dinheiro ao banco e ele quebrar. Existe essa possibilidade, mas é difícil. Mesmo que o banco quebre, você tem uma segurança. Fundos de Investimentos não são cobertos pelo Fundo Garantidor de Crédito (FGC), mas na maioria dos investimentos de Renda Fixa, há esta espécie de seguro.

A forma que empresas, bancos e o governo tem para captar dinheiro das pessoas é através de produtos de investimentos. As empresas captam através de debêntures, os bancos através de CDB, LCI, LCA. O governo pode captar recursos da população através do Tesouro Direto. Todos esses representam para nós produtos de investimentos e, ao adquiri-los, eles vão gerar lucros para nossa carteira de investimentos.

Existem muitas opções de investimentos, e aqui você vai aprender sobre as seguintes:

- **Caderneta de Poupança (já comentando sobre seu potencial limitado)**
- **CDB**
- **Tesouro Direto**
- **LCA**
- **LCI**
- **Debêntures**

Essas são opções de investimentos fáceis de investir e que vão lhe gerar bons rendimentos.

Sobre eles você aprenderá a partir de agora: como ir até a corretora, abrir a conta e pegar um desses investimentos para você. Porém, na hora de escolher qual investimento fazer é preciso considerar a relação risco X retorno.

RELAÇÃO RISCO X RETORNO

Quanto maior o risco a que você vai se expor, maiores as chances de retorno (e de perdas também).

A poupança, por exemplo, é um investimento cujo risco de perdas é bem pequeno, então o lucro é quase nada.

Se você emprestar dinheiro a uma empresa por debêntures, normalmente terá uma taxa de juros maior que a da poupança, contudo, se a empresa quebrar, você perderá o dinheiro.

Das opções em Renda Fixa, a mais segura é a poupança, mas outros investimentos geram mais recursos em longo prazo, como é o caso do Tesouro Direto e com ótimo grau de segurança.

Aliás, dos investimentos em Renda Fixa, o mais seguro é o Tesouro Direto junto à poupança, LCI, LCA. O CDB também é seguro, mas esta segurança depende da instituição que oferece o produto. É importante saber a classificação da instituição pelas agências de risco. Tem CDBs que carregam alto risco oferecendo rentabilidades superiores ao mercado.

O menos seguro, por sua vez, é a debênture, pois os demais têm FGC, que significa que, se você investe no banco até um valor específico (consulte o limite atual) e ele falir, você pode acessar o seguro que lhe pagará essa quantia máxima. Se investir mais do que o valor estipulado atualmente e o banco quebrar, você receberá apenas o teto FGC.

Para debêntures, contudo, não existe esse seguro, embora o lucro seja maior.

Por isso que, quando você vai fazer sua carteira de investimentos, você pode escolher um pouco de cada tipo de investimento em Renda Fixa, e os debêntures, como geram mais lucros, podem ser colocados também, mas sabendo que é um tipo de produto que não está coberto pelo FGC.

Se você tem uma carteira diversificada e perder tudo o que está aplicado nas debêntures, não vai levar grande impacto negativo sobre você. Se você estabelecer, por exemplo, que 5% do seu investimento vai para debêntures, e perder esse dinheiro, os demais investimentos vão cobrir a sua perda e não haverá prejuízos de grande porte.

O ruim é quando você dedica tudo às debêntures e a empresa quebra, por isso é importante fazer uma carteira de investimentos e ter diversificação, inclusive escolhendo os bancos e não ultrapassando os limites de R$ 250 mil por investimento por CPF. Debêntures tem o inconveniente do tempo de carência e tempo mínimo para resgate.

Você pode investir a quantia máxima segurada pelo FGC, seu marido ou esposa investir também o mesmo valor e cada um dos CPFs estará assegurado até esse limite.

SOBRE OS INDEXADORES

Quanto aos indexadores, é importante saber que, quando você investe em poupança, CDB, Tesouro Direto, LCI, LCA ou debêntures, eles podem estar atrelados aos mesmos indexadores, que é o que lhe dá a possibilidade de calcular quantos juros você vai ter.

Por exemplo, um investimento baseado no indexador CDI (Certificados de Depósitos Interbancários) é calculado a partir dos juros que os bancos utilizam para fazer as transações entre si. Existe um valor de juros e, se você investir baseado no CDI, que é uma taxa de referência, você terá que observá-lo para saber o quanto vai lucrar.

Relaxe, pois isso é só uma introdução, aos poucos vamos aprofundando o assunto.

O IPCA, por sua vez, é um índice de preços que diz o quanto um produto teve seu valor modificado ao longo dos meses ou do acumulado do ano, ou seja, a inflação. Se você comprou um produto, em 1 de janeiro, por R$100 e, em 31 de dezembro esse mesmo item chegou a R$ 110, ele teve 10% de inflação. Isso quer dizer que, se você tinha R$100 no começo do ano e não comprou o produto, no fim do ano essa sua quantia não compra mais aquele item, pois houve um aumento de 10% e você terá que pagar R$ 110. Portanto, quando você faz um investimento atrelado ao IPCA, você equipara o ganho, no mínimo, a inflação do período.

No momento da aplicação, o banco lhe diz que pagará o IPCA + uma porcentagem adicional, ou seja, no final do investimento ele lhe pagará a inflação do período e ainda lhe dará a porcentagem adicional acordada. Isso significa que o banco protege o seu capital e ainda lhe gera algum lucro.

O IGP-M é um índice relativo à inflação, e a SELIC é a taxa de juros da nossa economia do Brasil. Ela varia ao longo do ano. Já esteve por volta de 14% em alguns períodos e vem reduzindo para patamares de um dígito, chegando até abaixo de 2,25%. O que acontece é que, quando a taxa SELIC baixa, o poder de compra da população aumenta, o que faz com que, normalmente, as ações (Renda Variável) rendam mais e a Renda Fixa renda menos.

Numa economia aquecida os juros são baixos e há uma grande oferta de capital a juros baixos. As instituições buscam mais dinheiro no mercado pois mais gente busca recurso para investir em suas empresas, portanto as empresas da bolsa de valores lucram mais e as ações se elevam mais.

Você pode ter, em um período em que a economia vem melhorando, a Renda Fixa com menos desempenho. Mas não é porque a economia está melhor que você não vai investir em Renda Fixa, ou não é porque a economia está mais abalada que você não vai encontrar oportunidades na Renda Variável.

Quando a economia está ruim e as empresas estão em baixa na bolsa de valores, você compra as ações para vender quando aumentar, e quando a economia está ruim e você tem recursos, você pode emprestar dinheiro com alta taxa de juros de retorno. Essa é a lógica.

Essas são as informações essenciais que você precisa para escolher cada investimento, cujo passo a passo você encontrará nos próximos capítulos, que abordarão poupança, CDB, Tesouro Direto, LCA, LCI e debêntures de forma mais ampla. Por isso, na próxima parte iremos avante rumo a independência.

PARTE III

SUAS FINANÇAS SAINDO DA EMERGÊNCIA PARA O AMBULATÓRIO: RUMO À INDEPENDÊNCIA FINANCEIRA

O MÉDICO QUE HÁ EM MIM
LIÇÃO III: "A IDADE, O TEMPO, A DISPOSIÇÃO E O DINHEIRO" E SER OTIMISTA

Cada vez que você faz uma opção, está transformando sua essência em alguma coisa um pouco diferente do que era antes.

C.S. Lewis

Nas últimas páginas você leu informações relevantes que objetivaram gerar reflexões e com isso mudança de perspectiva para sua vida, sobretudo em relação à inteligência financeira, tema não tão debatido em nossas rodas de conversas ou mesmo durante o nosso período de formação médica na graduação ou pós-graduação.

Mas entendo que existe um risco de você estar um pouco perdido no conteúdo, por isso decidi dispor nesse momento do estudo de uma breve revisão.

Flashback:

Na Lição 1, da Parte 1, te falei sobre "Erro de médico recém-formado", quando, ao comprar um carro de alto preço e aceitar pagar juros elevados ao banco, comprometi quase um ano de trabalho em prol do pagamento de dívidas;

Na Lição 2, da Parte 2, abordei sobre a Corrida dos Ratos ou o Ciclo Autodestrutivo na medicina, um ciclo extenuante em que alguns colegas estão e que eu mesmo estive por um tempo. Julgo que este conceito é um dos mais importantes para a geração de insights sobre sua vida.

Até aqui você leu sobre alguns aprendizados que tive durante o percurso pelo qual passei e ainda passo, afinal a formação não é algo que acaba, e a depender de fatores sociais, biológicos, persistência e foco, torna-se contínua e permanente.

Se utilizarmos bem as variáveis gerenciáveis, sobretudo foco e persistência, podemos exercer maior impacto positivo sobre as nossas vidas, afinal o conceito de "desenvolvimento do ciclo de vida", reconhecido pelos cientistas que estudam sobre o tema, defende que o desenvolvimento humano é uma marcha que percorremos por toda a nossa vida.

Segundo Paul B. Baltes (1936-2006), considerado um dos psicólogos do desenvolvimento mais influentes pela *American Psychologist* e colaboradores, há sete princípios básicos da abordagem ao desenvolvimento do ciclo de vida, chamado de "abordagem de Baltes" ou "teoria do desenvolvimento do ciclo de vida". É uma espécie de lista de atributos-chave que pautam o nosso desenvolvimento humano por toda a nossa vida e que é vastamente aceito.

Para Baltes, o nosso desenvolvimento acontece a todo momento em um processo continuado, multidimensional e multidirecional de modificações instigadas por fatores sociais, culturais, biológicos/genéticos e caracterizado por aquisições e perdas desta interação entre nós e a cultura em que estamos inseridos.

Praticamente todos os princípios cabem em nosso estudo sobre o desenvolvimento da nossa capacidade de gerenciar recursos de vida, com destaque aos recursos financeiros pessoais, foco desta publicação.

Conheça as 7 abordagens de Baltes para o desenvolvimento humano[13]:

1. O desenvolvimento ocorre durante toda a vida, ou seja, é **vitalício**, e não se pode atribuir maior ou menor importância a cada ciclo. Cada estação tem características únicas e é influenciada pelo período anterior.

Aplicação: Nunca estamos passíveis de finalizar nosso aprendizado sobre a administração da nossa carreira e das nossas finanças, em todo tempo existe potencial de aprendizagem. Um erro do presente é uma oportunidade de melhoria para o futuro.

2. O desenvolvimento é baseado em crescimento e declínio, e baseado em **migração de capacidades** para o tripé crescimento, manutenção e resiliência para situações onde a perda é indefectível.

---

13 Abordagem de Baltes ao desenvolvimento do ciclo de vida com aplicações oriundas da interpretação do autor desta obra e direcionadas para o tema central deste livro. Referência: Desenvolvimento humano [recurso eletrônico] / Diane E. Papalia, Ruth Duskin Feldman, com Gabriela Martorell; tradução : Carla Filomena Marques Pinto Vercesi... [et al.] ; [revisão técnica: Maria Cecília de Vilhena Moraes Silva... et al.]. – 12. ed. – Dados eletrônicos. – Porto Alegre : AMGH, 2013.

Aplicação: Você investirá em vários aspectos da vida, não é só sobre dinheiro. O seu tempo, energia, recursos financeiros são constantemente ajustados durante a vida. Mais tempo agora dedicado a estudar finanças significa um maior crescimento neste tema.

3. A **plasticidade**, embora possa ter limites, exerce efeito sobre o desenvolvimento, assim competências cognitivas, motoras, emocionais sofrem modificações baseadas em treinamentos.

Aplicação: Não importa muito neste momento saber qual o limite da plasticidade nas várias faces da sua vida como desenvolvimento físico e cognitivo. O fato é que você pode se aperfeiçoar. O binômio treinamento e prática, com o passar dos anos, exercerá benefícios sobre a vida.

4. A **condição social, histórica e cultural** atua sobre desenvolvimento; além de influenciarmos, somos influenciados por nosso meio.

Aplicação: O momento histórico, familiares e amigos exercem e exercerão influência sobre seu desenvolvimento. Somos influenciáveis e não é sobre refletir se isto é bom ou ruim, já que não é algo modificável, trata-se de que agora de forma consciente, você possa se deixar ser influenciado por melhores ambientes, ideias e se livrar das amarras que limitam sua evolução, inclusive financeira. Você passou a vida ouvindo dentro da sua família "dinheiro não traz felicidade", que "só é possível ficar rico se roubar", "muito dinheiro só traz problemas"? É preciso repensar conceitos, pois de outro modo seu desenvolvimento financeiro será limitado.

5. Há **mudanças oriundas** da nossa condição **biológica e cultural** e cada uma dessas duas condições pode exercer maior ou menor influência e flutuar ao longo do tempo.

Aplicação: Nossas habilidades sensoriais, capacidades motoras e de interação com o meio ambiente declinam com a idade, embora tenhamos condições culturais favoráveis e adaptadas para um novo estágio biológico de vida com o passar dos anos; do que adianta ser um acumulador de dinheiro e ter a ideia fixa de que vai utilizá-lo no futuro? Com o avançar da idade você passará a não fazer coisas que enquanto mais jovem pode fazer. Não importa quantos anos você tem hoje, o passar dos anos é inexorável e a condição biológica vai comprometer sua qualidade musculoesquelética, auditiva etc. Vale a pena pensar em um equilibro e uma gestão de recursos que te possibilitem usufruir hoje e ainda se preparar para as demandas do futuro.

6. O caráter **multidimensional** está presente no desenvolvimento humano e isto é fruto da integração entre fatores biológicos, psicológicos e sociais que por vezes alteram-se em tempos distintos.

Aplicação: A menos que você tenha acometimento neurológico que proporcione impacto negativo ao seu potencial intelectual, sua interação social e treinamento educacional vão te fazer melhor a cada dia. Se expor a novas pessoas, ampliar sua rede de contatos (networking), ouvir e considerar novas ideias e visões de mundo influenciarão seu desenvolvimento.

7. A **multidirecionalidade** no desenvolvimento humano é observada em termos de ganhos e perdas com aparente esforço direcionado para a potencialização dos ganhos e gerenciamento das perdas.

Aplicação: Os mais jovens crescem de forma mais rápida em seus atributos e performance física, já a sabedoria é reconhecidamente elevada à medida que os anos passam. O aprendizado sobre finanças pessoais é mais significativo e transformador na medida em que você tem mais experiências de vida e isto está normalmente associado com o aumento da idade. Utilize esta variável a seu favor e não fique triste por não ter formado habilidades sobre investimentos antes, provavelmente este é o melhor momento para que a informação gere resultados para você.

Devemos lembrar que em um dado momento nós vamos nos aposentar. Vamos refletir sobre isso? Não apenas de forma isolada, pense agora a partir da perspectiva de três pontos importantes: idade cronológica (tempo de vida); recursos financeiros; e energia vital ou disposição.

Diz a sabedoria popular que a vida do ser humano se embrenha nos fatores: tempo, dinheiro e disposição, condensados a seguir:

Ainda quando jovens, há a percepção abundante de tempo. De fato, em termos biológicos, espera-se a manutenção do vigor por décadas a fio. Já sobre disponibilidade de recursos financeiros, para o jovem ainda é limitado, na maioria das vezes. Durante a vida adulta temos mais recursos financeiros, já estamos no mercado de trabalho, o tempo de vida pela frente ainda é considerável, entretanto a disponibilidade de tempo para a família e lazer é comprometida por uma rotina por vezes extenuante de trabalho e afazeres que limitam a sensação subjetiva de qualidade da vida. Quando idosos, as pessoas já tiveram tempo para um acúmulo de capital, mas as variáveis tempo e vigor físico são limitadas.

E então o que fazer?

Apenas ser otimista muda tudo? Até que é bom, ou melhor, é ótimo (como o próprio nome já diz: ótimo). Ter uma visão positiva do futuro, viver com a felicidade revelada em nossos rostos em forma de sorrisos é até contagiante, mas sobre o ponto de vista financeiro, ser apenas otimista não resolve. Isto tem tudo a ver com a idade, o tempo e o dinheiro.

Não seria ótimo "hackear a vida" e burlar este fluxo aceito como natural?! Algo como:

- Ainda quando jovem, ter energia, tempo e dinheiro para ter uma vida confortável;
- Quando adulto ter dinheiro, disposição e tempo para a família e prazer no trabalho;
- Quando idoso permanecer com energia, disposição e tempo livre para aproveitar entre familiares.

Então eu pergunto:

- É possível hackear a vida sendo apenas otimista?

Penso que não.

Então como conseguir? São várias as maneiras que incluem meios lícitos e ilícitos. Vamos nos concentrar nas maneiras lícitas, alcançáveis, sustentáveis e socialmente benéficas? Acredito que de outra forma não vale a pena.

E a palavra para esse alcance é ESTRATÉGIA. Este é o ponto de partida para conseguir hackear a vida e conquistar a independência financeira.

Independência financeira, situação em que os rendimentos oriundos dos investimentos "pagam" o padrão de vida, sem necessidade de você trabalhar.

Estratégia é igual ao número do conselho regional de medicina (CRM), cada um tem o seu!

Não ter uma estratégia aumenta as suas chances de ceder aos apelos publicitários para o consumo desregrado e assim não direcionar seus recursos para a conquista da sua independência financeira.

Com base em muitas referências da literatura que discorre sobre finanças pessoais e ainda com adaptação à realidade médica, construí uma proposição de estratégia em seis etapas para a conquista da independência financeira.

As 6 faces para a independência financeira:

1. **Identificação de rendimentos;**
2. **Identificação e otimização do Gasto Médio Mensal (GMM);**
3. **Proteção de patrimônio;**
4. **Formação do Patrimônio de Segurança;**
5. **Formação do Patrimônio de Oportunidade;**
6. **Realização de investimentos mais robustos.**

Todos as condições devem ser avaliadas continuamente. Ao concentrar-se em uma das condições, as faces anteriores não podem ser esquecidas. Lembre-se que todas precisam ser lapidadas com frequência, sobretudo os itens 1, 2 e 3. Com isso podemos afirmar que é uma estratégia baseada em componentes longitudinais, não é uma escalada degrau a degrau, embora inicialmente seja semelhante.

Mesmo se você começou sua vida profissional com erros expressos em péssimas escolhas de consumo, você ainda pode hackear a vida e conseguir fazer investimentos robustos, viver o presente com tempo, vitalidade e recursos financeiros suficientes para manter uma boa qualidade de vida, longe do estresse de empregos ou trabalhos que não estão alinhados ao seu propósito de vida.

Quem consegue aplicar seus recursos cognitivos às finanças, tem chances de fazer melhores escolhas de vida. Quem não tem planejamento e estratégia, corre o risco de colocar o dinheiro em um patamar acima do que ele merece; aceitar trabalhar em ambientes não compatíveis aos seus ideais, meramente pelo fato de que precisa do dinheiro para pagar as dívidas.

"Ser otimista (apenas) não resolve", é preciso ter estratégia.

Até aqui você tem informações importantes que já te possibilitam enxergar os primeiros códigos para uma vida plena com muita energia e possibilidades para aproveitar tudo que ela pode oferecer, sair de vez de um ciclo de endividamento e de compra de bens de consumo com alto preço e que te afastam das suas reais possibilidades.

A leitura deste livro vai te requerer poucas horas de vida dedicadas à sua educação financeira, mas farão a diferença para você e para seus familiares e para todo seu meio social.

RESPONDER NÃO OFENDE...

O que você acha de começar pela estratégia de decidir agora qual o seu planejamento para o resto da leitura deste livro?

Sem objetivos e estratégias você sai do percurso de forma relativamente fácil. Quanto ao objetivo, você já tem, mas se sua estratégia para alcançar este objetivo é traduzida apenas na declaração "vou ler este livro", há de se pensar em dar maior robustez.

Defina agora quanto tempo que você vai dedicar, pelos próximos dias, a leitura deste livro. Quanto mais específico, melhor. Você pode estabelecer um sprint de leitura em um final de semana ou feriado, ou mesmo uma leitura regular de 20 ou 30 páginas por dia.

Este livro deve representar mudança prática na sua vida, por isso vamos combinar também outra atitude mental: não adianta realizar a leitura e ficar parado e deixar as informações serem dissipadas através do tempo. Os aprendizados até aqui, e os que ainda virão, foram explicitados para serem significativos e representarem mudança de vida e condutas, por isto, cobre-se para colocá-los em prática, mais que chegar até a última página de leitura desta publicação.

Tempo dedicado a leitura:

____

____

____

____

____

Práticas a serem desenvolvidas (estratégias) a partir da leitura:

____

____

____

____

____

____

____

____

____

____

____

____

____

9
AS 6 FACES DA INDEPENDÊNCIA

Com organização e tempo, acha-se o segredo de fazer tudo e bem feito.

Pitágoras

Vamos conversar sobre a criação do seu patrimônio. A conquista da sua independência financeira não acontece do dia para a noite, a não ser que você ganhe na loteria.

É preciso seguir uma trilha e você pode começar hoje mesmo a andar em direção a esse objetivo!

Vou lhe explicar, com detalhes, como agir em cada uma das seis faces para a independência financeira:

1. **Identificação de rendimentos;**
2. **Identificação e otimização do Gasto Médio Mensal (GMM);**
3. **Proteção de patrimônio;**
4. **Formação do Patrimônio de Segurança;**
5. **Formação do Patrimônio de Oportunidade;**
6. **Realização de investimentos mais robustos.**

Você vai resgatar muitas informações que já enunciou nas propostas de RESPONDER NÃO OFENDE, pois foram exercícios dos capítulos iniciais.

O primeiro passo é identificar quais os seus rendimentos hoje. Depois de identificar os rendimentos, deve identificar e otimizar seu GMM. Depois, avançamos para a terceira fase, que é proteger o patrimônio. A quarta vertente é a formação de um patrimônio de segurança. Depois, formar um patrimônio de oportunidades. Em seguida, a realização de investimentos robustos com mais alto grau de rentabilidade.

Não se preocupe. Eu quis lhe apresentar logo esses seis elementos importantes porque, a partir de agora, com detalhes, nós vamos conhecer como conquistar cada um deles e prosseguir. Você vai aprender isso a partir do próximo tópico.

PLANILHA DE ORÇAMENTO

Antes de detalharmos sobre cada um daqueles passos que lhe mostrei, é importante que, juntos e agora, façamos um exercício.

Nós vamos usar uma tabela que montei e que está disponível a seguir. Esse arranjo vai permitir uma visualização panorâmica do orçamento familiar, vai servir muito para dar mais nitidez dos rendimentos, dos gastos fixos e variáveis. Recomendo que você monte uma planilha virtual e ainda faça as adaptações que cabem ao seu contexto. Use o Excel da Microsoft ou a ferramenta Planilhas disponibilizada pela Google de forma gratuita.

Vamos fazer uma simulação para estudá-la e, a partir deste momento, já preenchê-la em relação a este mês, com o máximo de detalhes que você pode inserir agora. Você utilizará dados já conhecidos do exercício recomendado no capítulo 3.

Receitas, despesas (fixas, variáveis recorrentes, extras), doações, saldo

	Janeiro		Fevereiro...	
Receita 1	Receita 1		Receita 1	
	Receita 2...		Receita 2...	
Despesa fixa	Despesa 1		Despesa 1	
	Despesa 2...		Despesa 2...	
Despesa variáveis	Despesa 1		Despesa 1	
	Despesa 2...		Despesa 2...	
Despesa extra	Despesa 1		Despesa 1	
	Despesa 2...		Despesa 2...	
Doações	Doação 1		Doação 1	
	Doação 2...		Doação 2...	

Investimentos	Investimento 1		Investimento 1	
	Investimento 2		Investimento 2	
	Investimento 3		Investimento 3	
	TOTAL	R$		R$
	SALDO	R$		R$

Todos os meses você terá os seguintes dados consolidados.

SALDO	
	Receita
	Investimentos
	Despesas fixas
	Despesas variáveis
	Despesas extras
	Doações
	Saldo

Na primeira coluna, você pode perceber que existe um espaço para receitas, em seguida investimentos, despesas fixas, despesas variáveis, despesas extras, doações e investimentos. Você não precisa mexer na tabela todos os dias. Recomendo que você a atualize todas vezes em que receber algum pagamento. Isto normalmente acontece uma ou duas vezes ao mês, se você é assalariado.

Eu já utilizei várias planilhas prontas, já fiz algumas, mas a apresentada é a que se revela a de melhor qualidade para o momento inicial de sua educação financeira. Ela é um esqueleto que você pode montar e adaptar de acordo com sua realidade. Construa sua planilha de forma simplificada e à medida que o tempo passar, você realiza ajustes até chegar ao modelo que mais se adequa à sua realidade. Esta é uma atitude essencial nesta fase dos estudos.

O primeiro passo é preencher as suas receitas; então, se você tem um salário fixo, insira o valor, por exemplo, R$10 mil. Em seguida, se já tem alguma renda, você pode colocar. Insira um eventual aluguel, pensão ou qualquer coisa que venha até você de forma passiva. Se você não tem, deixe zero, pelo menos por enquanto.

Você tem honorários flutuantes? Por exemplo, neste mês, deu um plantão a mais ou a menos? Coloque então qual o seu ganho em plantões. Se você fez algum outro trabalho, um atendimento particular ou ambulatorial como extra, coloque na planilha também. Lembre-se de reservar espaço para o 13º salário e férias.

Sobre investimento, é provável que você ainda não tenha realizado. Deixe esses espaços, portanto, em branco, pois a intenção é você se organizar para que, em breve, eles estejam todos preenchidos.

Quanto às despesas, você deve colocar, nesse primeiro momento, as despesas fixas. Você paga aluguel? Condomínio? Se paga, inclua o valor. Você tem alguma prestação a ser paga? Se tem, inclua; se não tem, não coloque nada. Você tem algum outro gasto fixo como assinatura do Streaming de filmes, música, assinatura de bibliotecas virtuais?

Na área de despesas da sua planilha, lembre-se de itens habitação, transportes, saúde, educação e impostos. Coloque também se você está fazendo algum curso. Coloque ainda os seguros que você tem, como o do carro e da casa, além do plano de saúde, se você contratou.

Os gastos variáveis como energia – em um mês custa mais, em outro custa menos – você inclui também. Outros itens como telefone, celular, gás, internet, transporte, supermercado também devem ser inseridos a cada mês.

Se você não tem esses dados com detalhes, fique atento e se organize para que no próximo mês você tenha isso mais detalhado, o que é muito importante, uma vez que é a forma de você acompanhar para onde está indo o seu dinheiro.

Essa planilha vai te dar uma visão ampla e muito objetiva dos seus rendimentos e dos seus gastos, por isso a importância de conhecer esses dados com detalhes. Talvez você encontre alguma dificuldade num primeiro momento, mas insira os valores o mais aproximado possível. Se não conseguir exatidão este mês, no próximo você completará melhor.

Não esqueça itens como cabeleireiro, manicure, academia, clube, teatro ou festas. Se você tiver tido algum gasto extra com saúde, como médico ou dentista, ou um gasto a mais com o carro ou pagou o Conselho Regional de Medicina, insira esses números também.

Faça com que a planilha se adapte ao seu contexto e vá preenchendo mês a mês. No final, para cada um desses tipos de gastos, você terá o total que gastou, e com fórmulas simples que você pode inserir na planilha no seu computador, terá calculado automaticamente as porcentagens dos recursos que entraram e saíram da sua gestão.

Você terá um resumo de tudo, suas receitas, seus investimentos, suas despesas fixas, variáveis e extras. Você verá quanto sobrou do seu orçamento, caso tenha sobrado. Se não tiver sobrado ou tiver sobrado e não está na sua conta bancária, então provavelmente você não preencheu corretamente a planilha. Neste mês, você chegará muito próximo da realidade, mas é no mês seguinte que você terá dados mais fidedignos.

RESPONDER NÃO OFENDE...

Não some ainda na planilha. Quero que você anote o valor que você estima ser o seu GMM, um dado muito importante, pois é a partir dele que vamos ter parâmetro para ir melhorando a cada mês. Neste momento, quero que você escreva quanto PENSA que é e, depois, olhe na planilha quanto realmente é, e reflita sobre a sua expectativa e a sua realidade.

Quanto você IMAGINA que é o seu GMM, que é a soma dos seus gastos fixos, variáveis e extras?

____

____

____

____

Na minha experiência, o GMM imaginado por você é muito menor do que o que realmente acontece. Se você tem certo controle, talvez você se aproxime muito da realidade.

Agora você já pode voltar à planilha e registrar com ênfase o seu GMM, pois essa informação será importante.

Vamos otimizar isso! Como? Depois de preencher toda a sua planilha, você vai inserir no quadro seguinte o que você considera desperdício, supérfluo e necessário. Regra básica do pilar Finanças que você conheceu na primeira parte do livro. Desperdícios a Eliminar, Supérfluos a Reduzir ou eliminar, Necessários a Otimizar.

DESPERDÍCIOS	SUPÉRFLUOS	NECESSÁRIOS

Por que você deve fazer isso? Porque, mais uma vez, tudo o que for desperdício não deverá acontecer no mês seguinte, portanto não vai permanecer na planilha, pois será eliminado.

Se você considera o gasto que inseriu no quadro como supérfluo, faça algum esforço para reduzi-lo ou eliminá-lo. Se esse supérfluo é importante para sua sensação de prazer, então deixe-o lá. Você pode até reduzir ou eliminar, se achar que não é algo necessário.

O que for necessário, por sua vez, deverá sempre ser otimizado. Como fazer isso? Ao abrir sua planilha e clicar, por exemplo, em estacionamento, e você gasta, por mês, R$100 e acha que isso pode ser otimizado, clique na célula com o botão direito, coloque "inserir nota" ou pode pintar de uma cor à sua escolha, como vermelho. Isso fará com que fique em sua cabeça que você deve otimizá-lo, para que, no próximo mês, esse valor seja menor que R$100, por exemplo, R$90. Assim, você vai otimizando todos os itens, até onde conseguir.

Se for um supérfluo que gastou, por exemplo, com padaria, um valor de R$ 400 que você considera supérfluo pois, nessa compra, inseriu produtos que se venceram ou que não foram consumidos, você também pode marcar com uma cor, como verde. A partir de então, você já vai elaborando meios para que, no próximo mês, gaste uma quantia inferior a R$ 400. No mês seguinte o gasto será, talvez, de R$300. E assim, a cada mês que vai passando, você vai melhorando seus parâmetros e seus gastos.

Essas atitudes serão muito importantes para o detalhamento e programação das próximas ações.

Neste momento, faça sua planilha com a maior riqueza de detalhes possível, insira nota ou pinte a parte que você considera desperdício, para você eliminar no próximo mês; supérfluo para você reduzir; e os necessários para você otimizar. Faça tudo isso agora e, depois de preencher, siga para o próximo capítulo. Espero você lá!

AS 3 PRIMEIRAS FACES PARA A INDEPENDÊNCIA FINANCEIRA

10

Abre a mente ao que eu te revelo /
e retém bem o que eu te digo, pois não é ciência /
ouvir sem reter o que se escuta.

Dante Alighieri

Agora, nós vamos conversar sobre os detalhes que envolvem as faces para a independência financeira.

Este é um dos conteúdos mais importantes que você terá acesso, lendo este livro. É uma estratégia muito bem definida utilizada por várias referências, então é muito provável que, se você não se desvirtuar dos pontos apresentados, você conquiste a sua independência financeira. É preciso paciência, tempo, e mais do que tudo, é preciso estratégia. E vamos a ela.

A PRIMEIRA FACE: IDENTIFICAÇÃO DOS SEUS RENDIMENTOS

Eu escrevi, em um dado momento, nas nossas conversas, que 42% das pessoas não sabem quanto ganham. Os médicos, pior ainda, porque geralmente têm um emprego com salário fixo e dão plantões, trabalham em ambulatórios e, de forma variável, fazem algum outro trabalho, e essa renda oscilante faz com que o médico não tenha uma ideia precisa sobre qual o seu exato rendimento. Não falo de valores aproximados. Falo sobre o quanto você ganha exatamente.

Para que você tenha sua independência financeira, o seu planejamento é necessário e, para que você se planeje, é preciso saber quanto você ganha. Isso é bem lógico.

Se você, no capítulo anterior, preencheu sua planilha criteriosamente, neste momento já visualizou o quanto você ganha e, de forma secundária, já pode estabelecer algumas metas de como aumentar o seu recurso, caso deseje.

Saber exatamente quanto ganha é um passo importante em busca da independência financeira. É a primeira face. Preencha sua planilha com cuidado a cada mês, você deve exatamente anotar qual sua perspectiva de ganho e conferir se é aquilo mesmo que você recebeu, para definir melhor se você vai fazer plantões extras, se vai fazer atendimentos particulares ou públicos de forma extra, etc.

A SEGUNDA FACE: IDENTIFICAÇÃO E OTIMIZAÇÃO DO GMM

Ao informar sobre como preencher a planilha, evidenciei a questão de observar com atenção o GMM.

No primeiro momento, é possível que seu GMM seja apenas aproximado, porque você ainda não possui a rotina de anotar exatamente o quanto gasta, mas devido ao fato de agora você ter uma planilha que vai te acompanhar por muito tempo, o seu GMM deve ser otimizado a cada mês.

> O GMM é o quanto que você gasta para manter a qualidade de vida que você tem. Quanto maior o padrão de consumo, maior o GMM.

O seu GMM deve ser muito bem conhecido, e é baseado nele que as próximas ações serão executadas.

A TERCEIRA FACE: PROTEÇÃO DE PATRIMÔNIO

A terceira face é a Proteção do Patrimônio, que exige mais detalhes. Esta variável é importante, embora muitas pessoas não a considerem.

Preste atenção nesta afirmação a seguir:

Não tenho dívidas, contas atrasadas e gasto menos do que ganho: tenho equilíbrio financeiro.

Isso, em minha opinião, é um mito. Se você, durante a identificação do seu GMM, verificou que ele está abaixo do seu orçamento frequente e que você não tem dívidas, talvez lhe venham os seguintes pensamentos:

- Estou bem! O meu GMM está equilibrado! Tenho um bom equilíbrio financeiro.

Contudo, isso pode ser mudado em apenas um segundo. Por quê? Porque a proteção de patrimônio, tema deste capítulo, é importantíssima e você pode estar desprotegido neste exato momento.

Como proteger o seu patrimônio? Por que fazê-lo?

E se você tem agora um teórico equilíbrio financeiro e acontecer qualquer adversidade na sua vida? Ou se aparecer qualquer nova oportunidade que você queira abraçar e demande certo investimento em dinheiro? Então, todo o seu equilíbrio vai por água abaixo!

A proteção do patrimônio é importantíssima, e os passos para que você proteja seu patrimônio começam com a identificação de quais são os seus bens de maiores preços e de maiores valores para você. Por exemplo, você tem um carro. Para proteger esse patrimônio, é importante que você tenha um seguro. Se você bater o carro, terá que gastar muito para consertá-lo, além do carro do terceiro que você danificou. Dessa forma, em um segundo, seu patrimônio que estava em equilíbrio será destruído.

Você precisa proteger o seu patrimônio, e o primeiro passo é ter um seguro do carro, conforme o exemplo dado.

Você tem uma casa própria ou apartamento? E se, por acaso, acontecer algum evento negativo no seu imóvel, como um incêndio? Ou se foram queimados alguns eletrodomésticos? Se você tem um seguro, ficará tranquilo! Se não tem, o seu patrimônio estará comprometido. Se esses incidentes geram um gasto alto e você precisar vender seu carro? Ou se precisar trabalhar mais, reduzindo a sua qualidade de vida? Se tiver um seguro, que não é caro, você protege o seu patrimônio, ou seja, o imóvel neste exemplo descrito.

> Seguro de vida, seguro de veículos, seguro de imóveis e planos de saúde são pontos importantes que darão proteção ao seu patrimônio e você deve tê-los.

Se você começar a investir na Renda Fixa ou na Renda Variável, neste momento, colocando seu dinheiro nas corretoras, e lhe acontecer qualquer problema, você vai precisar tirar o dinheiro antes do tempo em que ele estará maturado e vai impedir a melhor valoração dos juros compostos. Você, além de comprometer o seu rendimento, vai pagar por ter tirado o recurso antes do tempo e vai ter que fazer os gastos de saúde, de conserto de veículos e de casa.

É muito importante também ter seguro de vida para você e seus familiares, porque (ninguém quer que aconteça algo ruim e ninguém quer usar o seguro) se, porventura, acontecer alguma fatalidade, os seus familiares e você estarão protegidos.

Imagine uma família que possuía um grande patrimônio, quando, de repente, um dos membros, que tinha Diabetes Mellitus Tipo 2, teve um evento grave, por conta de tal doença, e teve que ser internado em UTI. Teve também um acidente vascular encefálico, que fez com que essa pessoa ficasse muito tempo na UTI de um hospital privado. Essa pessoa não tinha plano de saúde. Embora tivesse um grande patrimônio, cerca de dois meses de UTI consumiram uma grande quantidade dos recursos dessa família: mais de 50% deles foram direcionados só para cuidados médicos. Se houvesse uma proteção de patrimônio, essa pessoa teria um plano de saúde, que seria muito menos que seu patrimônio familiar. Veja, então, o quanto é importante ter um plano de saúde que funcionaria como um seguro para seu patrimônio.

Várias justificativas eu poderia apresentar, de situações que todos não estamos isentos de passar, para que você fizesse um plano de saúde, um seguro de imóveis, um seguro de vida e um seguro para o seu veículo.

O seu veículo provavelmente já tem seguro. É comum tê-lo. Se não tem, é importante fazê-lo! Para que você faça boas escolhas na hora de contratar os seus seguros de vida, de saúde, de imóveis e de veículos, eu sugiro que você busque um corretor de seguros de sua confiança. Talvez, se você já tem algum seguro, como o de carro, esse corretor vai lhe orientar também sobre como fazer um seguro de vida ou de imóvel, porque ele vai ter várias referências de mercado, e então você vai escolher a melhor empresa.

Por exemplo, um seguro que vai proteger o seu imóvel em até R$500.000, custa, em média, R$500. Então, é muito pouco pagar R$500, por ano, para proteger um patrimônio de tão alto preço e tão alto valor para você, não acha? O preço do seguro varia entre 0,1% e 0,3% do preço do imóvel.

Normalmente, os seguros de imóveis vêm acompanhados de alguns benefícios. Você contrata um seguro da sua casa ou do seu apartamento por R$400 ou R$500 por ano e junto vem a possibilidade de você convocar a empresa para pequenos consertos hidráulicos, reparos de materiais eletrônicos e troca de lâmpadas. Durante o ano, se precisar desses serviços, você poderá chamar o seguro do seu imóvel para realizá-los e não pagará nada de forma adicional. O valor pago à empresa pelo seguro por ano é convertido em outros serviços para você. Faz com que você economize também. Então, há muitos motivos para que você contrate um seguro, e o principal é proteger seu patrimônio.

Não vamos investir em Renda Variável ou Renda Fixa antes de proteger nosso patrimônio. Isso é o que deve ficar na sua mente, e essa é a terceira face que deve se reverter em ação prática em busca da independência financeira.

1. **Identificou seus rendimentos? Ok!**
2. **Fez a otimização, a cada mês, do seu GMM? Ótimo!**
3. **Próximo passo? Proteger o seu patrimônio.**

RESPONDER NÃO OFENDE...

Você deve listar o que você tem e o que você não tem dentre os seguros sugeridos e buscar, na internet ou com amigos, um corretor para lhe orientar na busca da contratação de seguro de vida, veículos e imóveis. Verificar se o seu seguro de saúde está em ordem. Se não está, revise seu plano de saúde para checar se há nele tudo o que você gostaria que tivesse.

Seguro Saúde	
Seguro de Veículos	
Seguro de Imóveis	
Seguro de Vida	
Outros	

Finalizamos por aqui e, no próximo capítulo, falaremos sobre a quarta face em busca da independência financeira.

A QUARTA FACE PARA A INDEPENDÊNCIA FINANCEIRA: PATRIMÔNIO DE SEGURANÇA

11

Quando se dissipa o patrimônio com loucuras, procura-se restaurá-lo com culpas.

Tácito

Depois que você já identificou os seus rendimentos, identificou seu GMM e obteve um passo a passo para conquistar a proteção do seu patrimônio, vamos seguir para o próximo, o patrimônio de segurança!

Os dois primeiros itens listados são longitudinais, pois você sempre deve identificar o seu rendimento, que pode aumentar ou diminuir a cada mês, e o seu GMM, que pode ter variações. Já a proteção de patrimônio é fixa, sendo muitos de seus itens pagos apenas uma vez ao ano.

O patrimônio de segurança, por sua vez, deve ser conquistado em um médio prazo. Talvez você o conquiste, a depender do seu foco e da sua quantidade de dívidas, em seis, doze ou dezoito meses.

O QUE É O SEU PATRIMÔNIO DE SEGURANÇA?

Patrimônio de Segurança é o dinheiro que você vai ter com alta liquidez, ou seja, alta capacidade de ser retirado de onde está e ser usado, caso você precise, para suprir a necessidade de algo não planejado.

Para que você possa estar livre para fazer boas escolhas e para que não haja impacto sobre seu patrimônio maior de investimentos, é preciso que você tenha um patrimônio de segurança.

Estamos aqui em busca da independência financeira, seguindo um passo a passo, uma estratégia, um planejamento. Entretanto, a vida é uma caixinha de surpresas, e pode ser que algum gasto venha a acontecer e não estava dentro do seu planejamento. A gente faz tudo para que esteja, mas não é possível contemplar tudo, e é muito bom que a vida seja assim, porque do contrário seria maçante e robotizada.

Imagine que você já tenha sua proteção com seus seguros, mas que você precisa fazer uma intervenção nos dentes em virtude de um problema agudo. Você pegará de onde esse dinheiro? Vai planejar? Não. Essa intervenção precisa ser rápida. Outro exemplo é se você recebe uma indicação médica para um tratamento que o seu plano de saúde não contempla, você não deve tirar dos seus investimentos. O que fazer?

Os seus investimentos de maior rentabilidade têm baixa liquidez, ou seja, têm baixa capacidade de serem retirados na hora em que você precisa. Se você os tirar antes do tempo, eles não vão render o quanto você imaginou, então, é preciso que, antes de realizar um investimento robusto, você tenha o seu patrimônio de segurança.

O patrimônio de segurança é o dinheiro que você vai colocar em algum outro local e vai servir para intercorrências.

E QUANTO É ESSE PATRIMÔNIO DE SEGURANÇA?

A indicação da maior parte da literatura sobre finanças pessoais é que seja seis vezes o GMM.

Lembre-se que eu lhe disse que o GMM é um dado muito importante que subsidia outras estratégias dentro de cada um dos passos. Considero que você já identificou o seu GMM, e digamos que seja oito mil reais, então o seu patrimônio de segurança é seis vezes oito mil reais, ou seja, R$ 48.000.

Lógico que esse dinheiro vai sendo formado a cada mês. Não quero dizer que no próximo mês você já tenha o seu patrimônio de segurança, mas, para conquistar sua independência financeira, o mínimo que você deve ter é seis vezes o seu GMM. Se você não tem isso, como terá sua independência financeira, que é o momento em que os seus rendimentos vão gerar tantos recursos que vão suprir o seu GMM, ao ponto de você não precisar trabalhar (a menos que queira), porque os juros dos seus investimentos já vão pagar o seu GMM?

Para que você conquiste a independência financeira, este será um dos objetivos que você vai atingir.

COMO E ONDE VOCÊ VAI GUARDAR ESSE DINHEIRO?

Uma pequena parte desse dinheiro pode ser colocada próxima a você, como na sua casa em um cofre. A quantia guardada em casa não deve ser grande, em função da sua segurança, considerando ainda onde e com quem você mora, portanto não mais que um mês de salário.

Se precisar, de forma rápida, você vai até esse local e pega esse dinheiro, efetuando o pagamento do que você precisa pagar numa intercorrência positiva ou negativa. Não pense que vai acontecer algo de ruim, coisas boas também acontecem inesperadamente!

Então, o dinheiro pode estar muito próximo a você, na quantidade de um salário ou metade de um GMM, ou mesmo um GMM completo, em dinheiro vivo.

A outra parte, já que não é viável guardar junto a você seis vezes o seu GMM, deve ser colocada em algum local com alta liquidez. Vou te apresentar, num capítulo posterior, explicações sobre Renda Fixa, e você vai conhecer onde pode alocar recursos em alta liquidez e que ainda permaneça gerando renda.

Por exemplo, na poupança, embora seja pouco o rendimento por ela oferecido sobre a parte do dinheiro que vai estar lá. Já é alguma coisa. Porém, existem investimentos que dão a você ganhos maiores a cada ano, e que, mesmo assim, oferecem alta liquidez, ou seja, quando você precisar daquele recurso, ele estará investido, gerando renda, mas poderá ser retirado quando você quiser.

Em resumo, uma pequena parte estará junto a você, em um cofre bem escondido, e a outra parte estará no banco, em um produto que já te gere algum recurso, desde a poupança, que rende pouco, até outro investimento que vai te gerar mais.

Você já sabe que o seu próximo passo é acumular seis vezes o seu GMM. Caso tenha qualquer intercorrência, terá seis meses garantidos com a manutenção da sua qualidade de vida.

ETAPAS PARA FORMAR UM PATRIMÔNIO DE SEGURANÇA

Aqui estão as etapas de como formar esse patrimônio de segurança que é seis vezes o seu GMM:

1. GMM x%;

2. 5% dos rendimentos pagar-se;

3. 10% dos rendimentos doar para alguém ou instituições;

4. Restante para formação do patrimônio de segurança.

ETAPA 1: GMM X%

O primeiro ponto é saber quanto é o seu GMM, e você já sabe disso. Então uma parte do seu rendimento do mês vai ser o seu GMM.

Na lista acima, coloquei um "X". Digamos que seu GMM seja 60% do seu salário, então você preenche o item a com "60%". Pegue o dado na sua planilha.

ETAPA 2: 5% DOS RENDIMENTOS PAGAR-SE

Do seu salário, você vai tirar 5% para se pagar. Lembre-se que a busca é pela independência financeira, e não pela punição! Então esses 5% de seu salário vão servir para que você gaste com o que quiser. Essa porcentagem corresponde a gastos eventuais, como os que ocorrem quando você ocasionalmente vê algo que quer comprar, então compre mesmo!

O ruim é quando você passa muito desses 5% e compromete o seu orçamento mensal. Pegue essa fração e gaste com o que quiser. Dessa forma, você pode aproveitar o orçamento que tem a cada mês. Se os seus rendimentos se elevarem, esses 5% se tornarão bem mais do que são hoje.

ETAPA 3: 10% DOS RENDIMENTOS DOAR PARA ALGUÉM OU INSTITUIÇÕES

O item 3 traz que 10% do seu salário vão servir para a doação. Por que é importante definir isso? Desde quando você começa a ganhar um salário, existem pessoas que precisam de você – talvez um familiar, a igreja, uma instituição para a qual você trabalha, um paciente pelo qual você sinta desejo de ajudar.

Desde quando eu comecei a receber salário, esses 10% foram direcionados para algum local, e você pode fazer o mesmo. Lembra aquele familiar que lhe pediu algum dinheiro porque estava precisando? Ou aquela pessoa pela qual você se sensibilize e quer direcionar algum recurso para ela? Então é melhor que esses 10% já façam parte do seu orçamento, para que você possa doar e contribuir para o seu meio. Se você não incluir no seu orçamento, isso se torna um gasto extra não planejado, o que é muito ruim, pois, a cada mês, isso vai bagunçar o seu orçamento.

Então, pegue 10% do seu ganho mensal e já direcione para a doação. Deixe junto com você e, quando precisar, doe. Você é que escolhe para quem quer doar. Em média, estes 10% serão doados, mas talvez, em alguns meses seja um pouco mais ou um pouco menos. Pode ter certeza que as pessoas precisam de você.

ETAPA 4: RESTANTE PARA FORMAÇÃO DO PATRIMÔNIO DE SEGURANÇA

O que restar, depois de tirar o GMM, os 5% para gastar com o que quiser e os 10% de doações, vai fazer parte do montante para a formação do patrimônio de segurança, o qual, a cada mês, vai crescendo e crescendo, até que chegará ao valor correspondente a seis vezes o GMM.

Quando chegar aqui, no topo do seu GMM, parabéns! Você chegou no nível 4 da busca da independência financeira. Sabe exatamente o quanto ganha, sabe seu GMM, tem o seu patrimônio protegido, tem um rendimento para se pagar e para doar, e ainda tem uma segurança de um patrimônio de seis vezes o seu GMM. Vamos saber qual o próximo passo no capítulo a seguir.

RESPONDER NÃO OFENDE...

Organize os valores na tabela, para facilitar o alcance do seu Patrimônio de Segurança?

1 ANO	GMM	5% SEUS	10% DOAÇÕES	PATRIMÔNIO DE SEGURANÇA ACUMULADO
MÊS 1				
MÊS 2				
MÊS 3				
MÊS 4				
MÊS 5				
MÊS 6				
MÊS 7				
MÊS 8				
MÊS 9				
MÊS 10				
MÊS 11				
MÊS 12				

12 A QUINTA FACE PARA A INDEPENDÊNCIA FINANCEIRA: PATRIMÔNIO DE OPORTUNIDADE

Temos o destino que merecemos. O nosso destino está de acordo com os nossos méritos.

Albert Einstein

O próximo passo, em busca da independência financeira, é ter um patrimônio de oportunidades.

O QUE É O SEU PATRIMÔNIO DE OPORTUNIDADES?

Trata-se de um recurso de alta liquidez, ou seja, com alta possibilidade de retirá-lo para que você possa alavancar seus resultados financeiros.

Talvez apareça para você uma oportunidade de fazer um mestrado, um MBA ou um curso fora do país, e se você não tiver um patrimônio de oportunidade, aquela oportunidade que vai alavancar sua carreira, ao ponto de seus rendimentos mensais terem grandes chances de aumentar, vai acabar tirando recurso de outros patrimônios ou vai reduzir sua qualidade de vida ou, até mesmo, a oportunidade vai escapar de suas mãos.

Imagine que você perdeu o emprego hoje. O seu patrimônio mensal vai reduzir até que você consiga um novo emprego. Se você não tiver um patrimônio de oportunidade para lhe dar segurança e lhe permitir fazer boas escolhas para os próximos empregos, você vai colocar o trabalho num patamar superior aos seus propósitos. Você vai aceitar qualquer emprego, qualquer local que te gere algum dinheiro, e isso não é bom. Se tem um patrimônio de oportunidades, você vai ter um recurso que vai lhe garantir um conforto maior para fazer boas escolhas em relação ao seu próximo trabalho, que por vezes pode ser até um empreendimento próprio.

Se aparece uma oportunidade de você ser sócio de uma empresa, é do patrimônio de oportunidade que você vai direcionar o recurso. Não vai tirar do patrimônio de segurança, não vai vender carro, não vai fazer nada disso. Vai apenas, de forma simples, pegar do seu patrimônio de oportunidade e investir.

COMO FORMO O PATRIMÔNIO DE OPORTUNIDADES?

Lembra que você seguiu os passos anteriores? Nós paramos no patrimônio de segurança, que é seis meses o GMM. O patrimônio de oportunidade vai ser criado em médio prazo. Não é uma coisa que se conquista do dia para a noite.

A depender do seu foco e se, hoje, você tem ou não dívidas, você vai conquistar os seus patrimônios de segurança e oportunidade de forma rápida. Talvez você conquiste isso em doze meses, dezoito meses, dois anos... vai depender do seu nível de esforço para gerar recurso e de quanto você direciona para a criação deles.

Uma vez identificado o seu GMM, lembre-se que isso deve ser otimizado a cada mês. Então, o primeiro passo do patrimônio de oportunidade é otimizar sempre o GMM.

Mantêm-se os 5% do seu salário para pagar você mesmo, então, continue gastando essa porcentagem com o que quiser, mesmo que não seja planejado. Os 10% continuam sendo doados para as pessoas que você quer ajudar, para a igreja, para instituições de caridade, enfim, para quem você acha que precisa do recurso que você ganha. Patrimônio de segurança reservado. O que restar disso vai para a formação do patrimônio de oportunidade.

E QUANTO É O PATRIMÔNIO DE OPORTUNIDADE?

Segundo a maior parte da literatura sobre finanças pessoais, deve ser variável.

Se você considerar a sua especialidade médica ou o seu emprego com uma alta empregabilidade, então o patrimônio de oportunidade será dozes vezes o seu GMM. Se for baixa empregabilidade, você vai definir entre dezoito a vinte e quatro vezes o seu GMM.

Lembre-se que isso não deve ser difícil. Se você busca a sua independência financeira, que é quando seus recursos geram tantos juros a ponto de pagar o seu GMM, e não tem de doze a vinte e quatro vezes o seu GMM, como quer chegar a essa independência que vai te proporcionar anos e anos de renda?

Então, ter, no mínimo, entre doze e vinte e quatro vezes o seu GMM é um passo que já te aproxima da sua independência financeira.

Você fez seu patrimônio de segurança? Ótimo! Então o seu patrimônio de oportunidade é para o curso que você quer fazer que vai alavancar a sua carreira, como um mestrado ou um MBA, ou um tempo fora daquele emprego que não está lhe trazendo prazer, para que você busque outro, ou para você ser sócio de uma empresa, ou a obtenção de um produto por um preço menor pois você tem recurso disponível com alta liquidez.

Esse patrimônio de oportunidade não precisa necessariamente estar na poupança, porque rende muito pouco. O patrimônio de oportunidade já pode ser colocado em alguns dos rendimentos de Renda Fixa com alta liquidez. Não precisa ficar debaixo do seu colchão (inclusive não é nem recomendado!).

Quando você seguir cada um desses passos e conquistar um valor que seja doze vezes o GMM e já tiver um patrimônio de oportunidade, caso a sua especialidade tenha alta empregabilidade (e se tem baixa, considere isso entre dezoito e vinte e quatro vezes o seu GMM), parabéns!

Vamos para o próximo passo da sua independência financeira no próximo capítulo.

RESPONDER NÃO OFENDE...

Vamos organizar na tabela, para facilitar o alcance do seu Patrimônio de Oportunidade?

Patrimônio de Segurança: R$____________________________

1 ANO	GMM	5% SEUS	10% DOAÇÕES	PATRIMÔNIO DE SEGURANÇA ACUMULADO
MÊS 1				
MÊS 2				
MÊS 3				
MÊS 4				
MÊS 5				
MÊS 6				
MÊS 7				
MÊS 8				
MÊS 9				
MÊS 10				
MÊS 11				
MÊS 12				

A SEXTA FACE PARA A INDEPENDÊNCIA FINANCEIRA: INVESTIMENTOS ROBUSTOS 13

As pessoas dividem-se entre aquelas que poupam como se vivessem para sempre e aquelas que gastam como se fossem morrer amanhã.

Aristóteles

Agora você vai conhecer a face dos investimentos mais robustos na busca da sua independência financeira. Aqui, você já está muito bem organizado nas suas finanças. Agora você vai entendê-lo por completo, incluindo as subfases.

FASE CHUPETINHA

Num primeiro momento, vamos considerar que você está na fase 1 da sexta face, que é uma fase de iniciante, é uma fase "chupetinha".

Fase I: iniciante

1. 65% GMM;
2. 5% pagar-se;
3. 10% doar;
4. 10% investimentos robustos;
5. 10% sonhos.

Nesse nível, é provável que diante de toda organização que você já fez, você vai ter um **GMM de aproximadamente 65%** do seu salário do mês.

Se você otimiza esses gastos a cada mês, bom demais! Mas se você chega a essa fase com, no máximo, 65% do seu salário direcionado a GMM, já está ótimo. Você vai ter a manutenção dos **5% para se pagar**, para comprar o que quiser. Se não gastou todo os 5% do mês passado, neste mês você já tem mais dinheiro para gastar com o que quiser, e você ainda continua direcionando **10% dos seus recursos para fazer as doações** que deseja.

Você vai ter agora a fase de investimentos mais robustos. Já vai poder direcionar **10% do que você ganha ao mês para investimentos mais robustos**. Isso é importante porque existe um princípio que você deve deixar fixo na sua mente até o final deste livro que é:

> Quanto mais tempo o dinheiro fica dentro de bons investimentos, mais dividendos ele vai aumentar.

Se você investe em algo de alta liquidez, ele vai ter juros, vai ser bom em alguns casos, mas não vai ser melhor que um bom investimento em que seu dinheiro vai ter que ficar parado por mais tempo como 3 anos, 5 anos, 7 anos. Nestes casos mais longos os juros compostos farão mais efeitos, e para os casos em que incide imposto de renda, o maior tempo investido pode representar uma menor porcentagem de impostos sobre a rentabilidade.

> Quando você investe em algo com baixa liquidez, usualmente esse tipo de investimento vai te dar maior rentabilidade.

Você, portanto, vai redirecionar 10% dos seus recursos para investimentos de menor liquidez que vão lhe dar mais lucros.

Outro princípio é: quando você direciona uma parte dos seus rendimentos para um investimento de alto risco, mais chances você terá de ganhar. Assim, quanto maior o risco, maiores as chances de obter mais juros e ganhar mais dinheiro, mas também tem mais chance de perder, sendo que, a depender do seu nível de investidor, se é arrojado ou conservador, você vai direcionando uma porcentagem desses recursos e distribuindo os riscos entre as opções de investimentos disponíveis.

O fato é que, neste momento, ao atuar sobre a sexta face, você vai gerar muito mais recursos porque 10% do seu orçamento já estará em investimentos mais robustos. Os **10% restantes são para a conquista de sonhos**: uma viagem que vai demandar um maior gasto, a troca do seu carro ou qualquer outro sonho que você tenha. Direcione 10% para a conquista desses sonhos.

Lembre-se que os seus bens de mais alto preço devem ser planejados, e esse planejamento só pode começar quando você está no sexto passo.

FASE X

Os outros passos são de alicerce, de maior segurança do seu patrimônio, de agarrar oportunidades que vão aparecer, e no sexto passo vem a conquista de sonhos: troca de carro, troca de bens de mais alto preço, pois os 10% dos recursos serão direcionados para eles.

Ainda dentro sexto passo temos a fase 1 (chupetinha) em que apenas 10% dos seus recursos mensais vão para investimentos robustos, onde a cada mês você pode otimizar cada vez mais. O seu GMM vai reduzindo, de 65% para 60%, depois 50% por exemplo, e então você chega ao máximo que pode, desde que mantenha sua qualidade de vida, até chegar em uma Fase X, que não tem número.

Fase X: seu objetivo

1. 35% GMM;

2. 5 – 10% pagar-se + sonhos;

3. 10% doar;

4. 40 – 50% investimentos robustos.

Como fazer e em quanto tempo você consegue passar do Fase I para conseguir alcançar a Fase X? Isto só você vai responder, pois esta conquista está totalmente associada à sua capacidade de organização e sua consistência em seguir o planejamento. A cada mês você vai melhorando a porcentagem - os valores que trazemos aqui são referenciais - ao ponto de você chegar na fase X, em que você vai ter o seu GMM representando apenas 35% do seu salário porque, nessa fase, você provavelmente deve aumentar o seu salário e mesmo que não aumente, já terá otimizado o seu GMM, e aqueles 10% que você investiu já vão gerar algum rendimento, portanto, isso ajudará a pagar o seu GMM.

Nesse momento as "minis fábricas de dinheiro" já estão fazendo efeito. Aqueles 10% que você investiu no mês passado já estarão 10 e mais alguns números depois da vírgula. Se você, em um dado momento, investe R$10.000, nos próximos meses serão R$10.050, R$10.100.... Vai aumentando e essa renda passiva vai acontecendo ao ponto de ir pagando o seu GMM, o qual não necessariamente será pago a partir do seu salário. Então, deixamos 35% oriundo do seu salário para o seu GMM.

A porcentagem permanece entre 5 e 10% para você se pagar e para a conquista dos seus sonhos, a compra de bens de mais alto preço; 10% você continua doando; e então os investimentos de maior robustez vão fazer parte da sua vida de forma mais significativa, com 40 a 50% do que você ganha sendo direcionado mês a mês.

Quando, a partir dos seus investimentos, acontecer o fenômeno de equiparação dos seus Gastos Médios Mensais, ou seja, quando tudo que você tem investido e lhe rende juros a cada mês paga o seu GMM, parabéns! **Você chegou à independência financeira.**

Se o seu GMM fosse R$ 7.500,00, você precisaria de R$ 2.000.000,00 a uma taxa de 0,375 %/mês. Veja a simulação:

MÊS	VALOR INICIAL (R$)	RENDIMENTO (R$) 0,375% mês
1	2.000.000,00	7.500,00
2	2.007,500,00	7.528,13
3	2.015.028,13	7.556,36
4	2.022.584,48	7.584,69
5	2.030.169,17	7.613,13
6	2.037.782,31	7.641,68
7	2.045.423,99	7.670,34
8	2.053.094,33	7.699,10
9	2.060.793,43	7.727,98
10	2.068.521,41	7.756,96
11	2.076.278,36	7.786,04
12	2.091.879,65	7.815,24
Totais em 12 meses		**Rendimento acumulado** R$ 91.879,60

A independência financeira é quando sua renda passiva, fruto de todos os seus investimentos, paga o seu GMM.

Quando isso acontecer, você vai comemorar muito e trabalhar sem preocupações, só para te dar maior prazer ou para aumentar a possibilidade do seu GMM.

Quando você aumenta o seu GMM, normalmente você também aumenta a sua qualidade de vida, o que leva à necessidade de direcionar mais recursos para os seus investimentos, porém a conquista da sua independência financeira acontece quando a sua renda passiva é igual ao seu GMM.

Essa é a última fase da busca da independência financeira à qual você chegará. Buscar, planejar e conquistar isso não é difícil, apensas requer estratégia.

Para que você possa direcionar investimentos mais robustos no sexto passo, os recursos devem ser direcionados a depender do seu perfil de investidor. Segundo a instrução 539 da CVM (Comissão de Valores Mobiliários), você tem que ter um perfil. Quando abrir uma conta numa corretora, você fará um teste on-line que identificará qual desses é o seu perfil:

1. Conservador
2. Moderado
3. Arrojado
4. Agressivo

Aqui você vai ver quais as características desses perfis e, dependendo de qual deles mais se encaixa ao seu estilo, vai direcionar os recursos em forma de porcentagem para cada tipo de investimento. Se você é conservador, a maior parte dos seus recursos estará na Renda Fixa. Se você é arrojado, uma grande parte dos seus recursos estará numa Renda Variável.

Para que possa investir em Renda Variável, terá que estudar mais sobre isso e não faz parte do propósito deste livro lhe ensinar a investir em Renda Variável, e sim em Renda Fixa, que são os primeiros passos para a sua independência financeira.

1. Identificação dos rendimentos;
2. Identificação e otimização do GMM;

3. Proteção de patrimônio;
4. Formação do Patrimônio de segurança;
5. Formação do Patrimônio de oportunidade;
6. Realização de investimentos mais robustos.

Esses, portanto, só revisando para você, são os níveis para que você conquiste sua independência. Lembre-se disso! Identifique seus rendimentos e tente melhorá-los a cada mês; identifique o seu GMM e tente otimizá-lo a cada mês; proteja o seu patrimônio; tenha a formação do seu patrimônio de segurança e de oportunidade; realize investimentos mais robustos a depender do seu perfil de investidor.

PARTE IV

TODA MALETA MÉDICA TEM UM SEGREDO: INVESTIR EM RENDA FIXA

O MÉDICO QUE HÁ EM MIM
LIÇÃO IV: O QUE NOS MOVE

O entusiasmo é o fermento que faz com que as tuas esperanças brilhem até às estrelas. O entusiasmo é o brilho nos teus olhos, o balanço da tua marcha. O aperto da tua mão, o aumento irresistível da vontade e da energia para executar as tuas ideias.

Henry Ford

Flashback:

Na Lição I falei sobre "Erro de médico recém-formado", quando, ao comprar um carro de alto preço e aceitar pagar juros elevados ao banco, comprometi quase um ano de trabalho em prol do pagamento de dívidas;

Na Lição II abordei sobre O ciclo sem fim e autodestrutivo na medicina, onde estive por um tempo. Julgo que este conceito é um dos mais importantes para a geração de insights;

Na lição III, mencionei as 7 abordagens de Baltes para o desenvolvimento humano e as 6 etapas para a conquista da independência financeira.

Em um dos livros de Mário Sérgio Cortella, *Educação, escola e docência*, ele cita que **compartilhar** é aquilo que nos move.

O LEITOR QUE HÁ EM MIM

O autor Mario Sergio Cortella é um professor muito conhecido pelas suas palestras, e como escritor já publicou inúmeros livros. O livro *Educação, Escola e Docência* fala sobre os papéis da família e da escola para realizar uma educação mais preocupada com o ser humano, seus valores, com o propósito de gerar cidadãos mais conscientes da sua capacidade.

De alguma forma e por diversos momentos somos educadores, além de "aprendedores" constantes, desde a infância, passando pela adolescência, na vida adulta e no futuro, quando seremos idosos. Mas disso você já tomou conhecimento ao ler sobre o conceito de plasticidade na Lição III.

Sempre podemos nos beneficiar do aprendizado constante que temos em aulas, em conversas com os nossos professores, nos cursos que fazemos, livros que lemos etc. A educação acontece enquanto vivemos em sociedade.

E já que estou vivendo em uma sociedade com os benefícios da tecnologia, tenho utilizado bastante recursos como blogs, podcasts, audiolivros, vídeos e envios de e-mails para minha base de contatos. Isto me possibilita ampliar o impacto educacional e torna-me melhor no que faço, modifica tanto a mim, que compartilho, quanto ao público que acessa.

Somos incompetentes em muitos assuntos. Não no sentido pejorativo, mas no sentido de não termos tido ainda exposição ao tema, para só depois sermos "educados" e mudarmos nossas ações diárias em relação ao assunto específico. Afinal, "conhecimento não aplicado gera obesidade cerebral" como diz Flávio Augusto, em seu livro *Geração de Valor*. E isto acontece com a Educação Financeira.

O LEITOR QUE HÁ EM MIM

Indico a leitura do livro *Geração de Valor*, que ensina lições financeiras através de histórias surpreendentes para estimular o comportamento empreendedor que existe em cada leitor. O autor relata que sua trajetória profissional o motivava a buscar sempre o melhor e contornar as adversidades, tornando-se um empresário de grande sucesso.

Uma grande parcela dos brasileiros não recebe instruções formais sobre o desenvolvimento de uma mentalidade de curto, médio e longo prazo que inclui planejamento e realização de sonhos.

Se você e eu soubéssemos, não teríamos errado ou não continuaríamos errando nas escolhas que hoje influenciam o nosso futuro. Educação, Planejamento e Inteligência Financeira são temas essenciais para uma vida melhor. Todo mundo deveria ter noções básicas sobre o assunto, mas nem isso!

Não há debate formal sobre finanças pessoais na maior parte da nossa jornada escolar e acadêmica. Isto explica uma geração de endividados, pagadores de juros exorbitantes de financiamentos de carros e imóveis de forma pouco ponderada. Isto explica o motivo que leva vários médicos recém-formados, médicos com 5, 10, 15 anos de profissão, a ainda se submeterem a jornadas de trabalho que retiram qualidade das suas vidas.

Se todos soubessem que é possível ter uma boa vida hoje e, mesmo assim, fazer investimentos para a conquista da independência financeira, a primeira resposta que o estudante de medicina ou médico daria quando questionado sobre o que gostaria de fazer com seu próximo dinheiro recebido, a resposta seria:

- QUERO INVESTIR!

Quanto mais cedo você começar a vida de investidor, mais rápido você chegará a sua independência financeira, momento em que o trabalho se transforma de fato em uma opção e uma realização, pois todo o seu gasto mensal já poderá ser pago apenas com os rendimentos oriundos das boas escolhas dos seus investimentos.

Já imaginou como será maravilhoso quando esse dia chegar para você?

Para Thiago Mota e Lucas Silveira, alunos do curso que ministro, a independência financeira passou a ser uma questão de estratégia, e não mais apenas um sonho ou utopia.

> "Eu já pesquisei bastante sobre com investir, mas por não conhecer, eu ficava na dúvida e desistia. Agora eu consigo enxergar que há um caminho possível para chegar a um patamar de grande conforto." Thiago Mota

"A gente da área médica não tem estes conceitos na graduação, não aprendemos muito bem como funciona o mercado de trabalho, não entendemos muito bem como investir o dinheiro. Muitos acham que por ser médico é tudo muito fácil, financeiramente. Mas não é bem assim quando não se tem o planejamento necessário." Lucas Silveira

Anatole Cirello Jr., em seu livro *Você vai ficar rico*, faz alusão a úma águia como ave perspicaz e inteligente, assim como você é. Para o autor, a águia representa poder, independência, um bicho estratégico..., mas quando filhote precisa de um incentivo para conquistar o céu através do seu voo. À beira do abismo a mãe águia assume a responsabilidade de dar um motivo para a ação, um motivo para a águia filhote voar. Às vezes subitamente, outras vezes com maior delicadeza, ela empurra sua cria, que deixa a inércia e assume suas asas para alçar seu primeiro voo trôpego, que a cada tentativa fica melhor.

O LEITOR QUE HÁ EM MIM

Eu indico a leitura do livro *Você vai ficar Rico*, do autor Anatole Cirello Jr, porque ele aborda o quanto a disciplina e determinação são quesitos indispensáveis na busca da independência financeira. O autor também esclarece alguns termos veiculados como controle de gastos e percentual de juros. Vale a pena a leitura.

É assim que a educação financeira chega em nossas vidas... de maneira lenta ou súbita, você terá uma motivação para buscar informações e elevar sua inteligência financeira.

A maneira lenta te dará mais chances de se defender e reagir diante das intempéries. Neste caso você terá apenas impactos leves a moderados sobre seu patrimônio. A maneira súbita levará seu patrimônio de forma fácil! Afinal, ele não está protegido através de investimentos e ações planejadas.

Ao acontecer algo inesperado, você terá que direcionar uma grande quantidade de dinheiro para este evento, e como não foi planejado, você terá que sacar de onde não deveria... ou aumenta a carga de trabalho comprometendo qualidade de vida e horas de convívio com familiares, ou terá que vender seus bens de maior valor, ou se endividar.

Espero que estas quatro lições sejam suficientes para inspirarem sua automotivação, que desperte em você a intenção de desenvolver uma visão crítica sobre finanças pessoais e por fim, que você passe a ter (uma maior) inteligência financeira diferenciando-se da maioria.

Por isso dedique um tempo a você mesmo. Além de ler as lições que abrem cada parte do livro, avance para as próximas páginas e aplique os conhecimentos recebidos.

Não espere que a motivação venha de maneira súbita e impacte negativamente os seus recursos financeiros. Assuma a responsabilidade sobre sua educação! O que você não pode (ou pelo menos não deve) é ficar na inércia.

Mesmo pouco tempo dedicado à sua educação financeira fará a diferença no médio e longo prazo para você e para seus familiares e lhe conduzirá à independência financeira. Parafraseando Benjamin Franklin, investir em educação sempre, sempre e sempre, rende os melhores dividendos.

O que nos move é nossa automotivação diária. Encontre motivos para ser melhor a cada dia.

Nos encontramos na próxima e última lição.

CONCEITOS ELEMENTARES[14]

Aplicações de Renda Fixa atraem pela previsibilidade, mas sempre é bom conhecer o mercado em que você pretende investir para tomar decisões seguras. Observe alguns conceitos que lhe ajudarão a ter uma percepção mais apurada sobre os ativos de Renda Fixa.

Relação risco-retorno

No mercado financeiro, a regra é clara – quanto maior o risco e o tempo que o dinheiro fica investido, maior é o retorno. Títulos de Renda Fixa de longo prazo, por exemplo, tendem a pagar uma taxa de juros maior. É a recompensa para você não mexer naquele dinheiro durante um prazo pré-estabelecido. Investir em Renda Fixa não garante exatamente que você estará livre de oscilações na rentabilidade. Elas podem ocorrer, por exemplo, devido às variações das taxas de juros.

Liquidez

Toda aplicação de Renda Fixa conta com uma regra que define a rentabilidade no ato da negociação e classifica os títulos em pré-fixados, quando os rendimentos já são conhecidos com antecedência; e pós-fixados, quando o rendimento depende de um indexador. Outro detalhe importante é que a remuneração pactuada só vale se respeitado o prazo de vencimento.

Indexador

Vem da palavra "index", que significa índice. Serve de base para nortear a correção de valores nas aplicações. O mercado financeiro utiliza uma série de índices para atualizar e projetar o resultado dos investimentos, sendo os mais utilizados DI (taxa de juros interbancária), IPCA (índice de preços), IGP-M (taxa de inflação) e Selic (taxa básica de juros).

---

14 Fonte: CETIP - Central de Custódia e Liquidação Financeira de Títulos Privados

FGC, Fundo Garantidor de Créditos

O FGC é a associação responsável pelo socorro a correntistas, poupadores e investidores em caso de falência da instituição financeira. É possível recuperar os depósitos ou créditos até o limite de 250 mil reais por CPF/CNPJ e por instituição financeira de um mesmo conglomerado. Produtos de Renda Fixa como CDB, LCI, LCA e Letras de Câmbio contam com esta proteção do FGC. Vale lembrar que, se você possuir acima de 250 mil reais em um mesmo banco, distribuídos em conta corrente, conta poupança e CDB, só estará protegido até o teto de 250 mil reais. Antes de contratar o investimento, avalie o emissor do papel e peça orientação à sua corretora ou banco. Também pergunte ao seu gerente a respeito do Cetip | Certifica.

14

POUPANÇA

A paciência leva ao sucesso

Autor Desconhecido

Quando se fala em investimento e em guardar dinheiro, talvez esse termo seja o primeiro que saia das nossas bocas, poupança.

Quando um bebê nasce na família, é costumeiramente dito "vamos fazer uma poupança para quando ele entrar na faculdade!", ou então quando você foi para o mercado de trabalho e disse "ah, vamos fazer uma poupança para quando eu precisar nos tempos da residência médica!", ou qualquer outra coisa que remeta a guardar dinheiro.

Você deve ter em mente que poupar não é investir.

Poupar é guardar o dinheiro, e se você for guardar o que você poupa na caderneta de poupança, é preciso saber o quanto que esse tipo de investimento rende, para você. Você vai saber escolher se é necessário, se é desejável ou não, deixar o seu dinheiro na poupança - este produto bancário.

A poupança é um tipo de investimento que é praticamente um convênio entre o Banco Central e todos os outros bancos. Quando você coloca o seu dinheiro na poupança, em qualquer banco, as regras são as mesmas. Quando você deixa o seu dinheiro na poupança por 30 dias, ao final desse período, terá um rendimento ao visualizar o seu saldo e seu extrato.

Os juros podem incidir sobre o dinheiro que você deixa na poupança, esse é um investimento sobre o qual não incide imposto de renda. Tem alguns benefícios, como alta liquidez, cujo conceito você já conhece, que é a capacidade de pegar o dinheiro que está guardado na hora que você quiser, mas se você tem um montante considerável, é preciso analisar bem se você vai deixá-lo na poupança, vendo se os juros prometidos são suficientes para os seus anseios, ou não.

Os seguintes questionamentos são frequentes:

- Quanto que se paga de juros quando o dinheiro fica na poupança?

- Quanto rende?

Quando você deixa o dinheiro na poupança, tem que esperar obrigatoriamente 30 dias para que, após esse período, tenha os juros realizados. E o quanto rende depende da SELIC. As regras podem mudar quanto a esse rendimento, por isso sempre é bom se atualizar em endereços seguros como o site do Banco Central do Brasil.

Em linhas gerais, os rendimentos da poupança advêm da Taxa Referencial (TR), que é um valor irrisório e uma remuneração adicional que se relaciona conforme os juros básicos da economia, SELIC.

Se o investimento é bom, vai depender dos seus objetivos e do quanto ficará na poupança, mas você não pode se deixar enganar ou então não perceber uma peculiaridade: a rentabilidade que a poupança pode lhe dar geralmente é muito baixa e por isso este produto tem sido mais recomendado para situações onde há necessidade de maior liquidez. Outras opções em Renda Fixa oferecem resultados intensamente superiores.

Perceba o potencial limitado dos rendimentos gerados pela caderneta de poupança no exemplo a seguir:

Imagine um ano em que tivemos a inflação de 6% e que a sua poupança rendeu 6%; embora você tenha aumentado o valor em número no saldo da sua poupança, você não aumentou o seu poder de compra. Quando você decide por algum tipo de investimento que protege seu patrimônio, como os que lhe pagam a inflação mais alguns juros, você aumenta o seu poder de compra, mas na poupança não. Ela não aumenta o seu poder de compra com os 6% deste exemplo. Você tem que descontar a inflação do ano para contabilizar o seu ganho real.

Você pode consultar o histórico dos últimos anos de inflação e verificar se foi menor ou maior que 6%. Se foi igual, seu poder de compra foi apenas mantido. Se a inflação foi maior que 6%, você reduziu o seu poder de compra, por isso a poupança não é vista com bons olhos pelos grandes investidores.

Ela tem benefícios? Sim, mas é importante ter ciência dessas peculiaridades. A depender da inflação, você pode reduzir o seu poder de compra.

Alguns pontos positivos da poupança:

- Liquidez diária;
- Cobertura pelo FGC;
- Facilidade na aplicação;
- Formação de hábito;
- Alta previsibilidade.

A **liquidez é diária**, ou seja, a qualquer momento que você queira retirar o dinheiro que está na poupança, é só chegar e sacar; seja no caixa eletrônico, seja diretamente com o atendente no caixa, ou passando o seu cartão de débito, o dinheiro será descontado, ou seja, você tem uma alta capacidade de retirar o dinheiro quando precisar. Esse é um ponto positivo, caso você precise em alguma emergência.

Alguns veem isso como negativo, porque se você pode tirar facilmente, você deixa de poupar com facilidade também, o que talvez não seja tão positivo assim, mas vamos listar como positiva a liquidez diária.

A poupança é **coberta também pelo FGC**, que é o Fundo Garantidor de Crédito. Isso quer dizer que se você tiver uma quantia até o valor estipulado na poupança para usufruir do FGC e o banco falir, você estará assegurado e será restituído em relação à quantia perdida.

Existe uma grande **facilidade de aplicar na poupança**, então, se você tem uma conta, é provável que o seu banco tenha criado uma variação para poupança automaticamente. Lembra quando você vai fazer algum depósito? Tem o número da sua conta corrente e tem o número da operação, sendo este o número que define se a transação se destina à conta poupança ou conta corrente. Então, se você coloca operação relativa à poupança, o seu dinheiro vai para a poupança. Você pode fazer uma transferência da sua conta corrente para a poupança, ou fazer um depósito diretamente.

Outro benefício da poupança é a **formação do hábito**. Se você não tem o hábito de juntar certa quantidade de recursos, estabelecer uma frequência de depósitos ou colocar na poupança uma porcentagem do valor que você recebe mensalmente, pode lhe ajudar a criar um hábito de investidor. Depois disso, o próximo passo seria escolher outros investimentos com um maior poder de crítica na escolha.

Outra coisa é a **alta previsibilidade**. Quando coloca dinheiro na poupança, você já tem uma previsão de quanto vai lucrar aproximadamente, mas lembre-se que você sempre deve descontar a inflação para ver o seu ganho real em termos de poder de compra.

Uma recomendação importante é que se hoje você tem uma grande quantidade de recursos na poupança e, a partir dos seus novos conhecimentos, opta por investir em outras modalidades, veja a data de aniversário da sua poupança. Por quê? Porque se você deixar o dinheiro com ciclos menores de 30 dias, você não terá os juros desse período. Se você deixa o dinheiro na poupança por 45 dias, por exemplo, vai ter os juros dos primeiros 30 dias, mas faltarão ainda 15 dias para ter os próximos juros em sua conta. A poupança funciona em ciclos mensais.

Se você sacar hoje, estará perdendo o dinheiro de juros que possivelmente entrarão ao ciclarem os próximos 30 dias. Quando você checar seu extrato da poupança, verá algumas datas de aniversário, que são as datas em que você realizou depósitos e deve fazer os saques nessas datas, assim não perderá os juros que rendem a cada 30 dias.

Se você vai optar por outro investimento, verifique, no extrato, a data de aniversário da poupança e só tire o dinheiro a cada 30 dias. Você pode pedir ajuda ao gerente do seu banco para fazer isso da melhor forma.

Veja a seguir uma simulação, de 1994 a 2015, como rendeu a poupança em um investimento de R$1.000 nessa época.

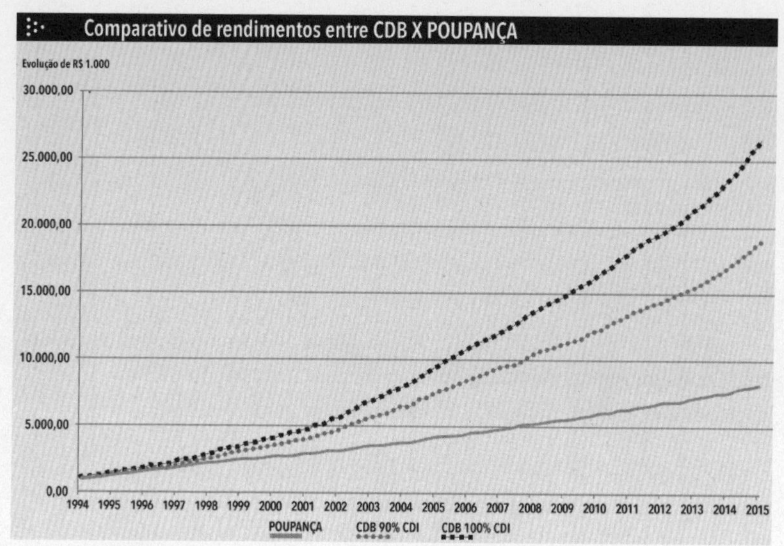

Figura 7: Comparativo de rendimentos de CDB e Poupança

Ainda nesse gráfico, você percebe uma comparação entre a poupança, a curva mais baixa, o CDB, a curva intermediária, que é um tipo de investimento que veremos no próximo capítulo, pagando 90% do CDI (taxa de referência para os juros), e o CDB na curva mais acima pagando 100% do CDI.

Por exemplo: se você tivesse colocado na poupança, em 1994, a quantia de R$ 1.000, em 2015, que é a data limite do gráfico, você teria entre R$7.000 e R$8.000.

Se você tivesse investido no CDB, pagando 100% do CDI, os juros compostos lhe produziriam um ganho de quase R$26.000.

Viu a diferença? A poupança lhe proporcionaria uns R$7.000, e o outro, R$26.000. É um valor considerável.

Claro, isso é o que aconteceu no passado, entre 1994 e 2015. Mas é importante que você utilize o histórico do investimento para ver qual a possível marca que ele pode atingir. O que aconteceu no passado não necessariamente vai ficar se reproduzindo, mas, na poupança, essa média histórica vem se mantendo por um bom tempo.

PRÁTICA!

Agora você vai saber como investir em cada uma dessas opções. Vamos lá?

Na poupança é muito simples e você já sabe.

Você simplesmente acessa a sua conta corrente e transfere para a poupança ou, de forma também simples, realiza um depósito diretamente na operação que equivale à poupança do seu banco.

Por exemplo, na Caixa Econômica, seria operação 013, e aí você faria um depósito, digitando o número da sua conta, operação 013 e o valor. O dinheiro não irá para a conta corrente, mas sim para a poupança.

É simples demais investir em poupança!

Agora você tem alguns critérios e conhece bem o que é poupança, quanto de juros ela pode render, mas lembre-se sempre da inflação, que pode estar no período que pode comprometer o seu investimento. Contudo, como foi apresentado aqui, existem benefícios.

Essa é a primeira opção de investimento, dentre as principais do mercado em Renda Fixa. Utilize-a enquanto vamos para a próxima modalidade no próximo capítulo.

15

CDB

Aquele que tiver paciência terá o que deseja.

Benjamin Franklin

Mais uma opção de rendimento em Renda Fixa: o CDB é um empréstimo que você faz ao banco.

A maior parte das pessoas vai ao banco para pedir dinheiro emprestado, seja para financiar casa, para financiar carro ou qualquer outra coisa. Mas você, que tem algum recurso, pode inverter os valores e emprestar ao banco.

Isso é algo que eu chamo de "hackear o sistema": em vez de pegar dinheiro emprestado e pagar juros por isso, você empresta dinheiro e ganha juros por isso.

O banco, nessa situação, pega o dinheiro que captou de você e empresta às pessoas que necessitam de dinheiro, as quais pagarão juros maiores, e uma parte deles vai para você. É como se o banco alugasse o seu dinheiro, cobrasse uma locação, e uma parte desta fosse para você. Simples assim!

O CDB, cuja sigla significa Certificado de Depósito Bancário, é o empréstimo que você, investidor, faz ao banco, o qual vai utilizar o recurso para emprestar às pessoas e passa uma parte do valor que elas pagam de juros para você.

Existem três modalidades de CDBs.

- Prefixados (% fixo)
- Prefixados + índice (híbrido – IPCA+)
- Pós-fixados (% do CDI)

A primeira modalidade é o **prefixado**, ou seja, no momento do seu investimento em CDB, você já vai saber o quanto ganhará. No dia em que investir no prefixado, você já sabe quanto vai ganhar.

A segunda modalidade é o que eu chamo de CDB **híbrido**, porque ele tem uma parte que é prefixada, mas é atrelado a um indexador, por exemplo, IPCA, que é o Índice de Preços ao Consumidor Amplo, ou seja, a inflação. Você pode investir neste CDB, e ele garante o seu poder de compra, pagando a inflação do ano e ainda dá juros a mais. No híbrido, você só sabe seu ganho no final do investimento. O que você tem certeza é que o seu dinheiro vai estar protegido da inflação, pois lhe será pago o IPCA mais os juros adicionais estabelecidos em negociação com você.

A terceira modalidade pode ser chamada de **pós-fixado**. O pós-fixado puro, por sua vez, estabelece que vai lhe pagar uma porcentagem sobre o CDI, que é o Certificado de Depósito Interbancário, o qual não é um investimento, mas sim um indexador, assim como o IPCA, que serve como taxa de referência para os juros que lhe serão pagos.

CDB PREFIXADO

Para quem é o prefixado? É para aquela pessoa que visualiza um cenário em que a economia vai reduzir a taxa de juros geral. Se vai ser reduzida a Selic e a inflação, vale a pena investir em prefixados. Imagine um cenário em que a Selic está em 7% ou menos, ou então o IPCA está lá embaixo, com a inflação a 3%. Se investe em um CDB prefixado, você garante um ganho muito superior à taxa de juros do mercado, a depender de quantos por cento você consegue com o banco.

Veja o exemplo: imagine que o Banco Núcleo MD quer captar de você a quantia de R$ 5.000 e ele devolve esse dinheiro em 36 meses. Então ele estabelece um prefixado de 8% ao ano. Se no cenário em que esta proposta estiver ativa a Selic estiver 3% e o IPCA estiver 3%, é uma boa opção esse investimento, não é? Você vai ter 8% em vez dos 3% da Selic ou dos 3% do IPCA mais juros. Entendeu?!

Então se o cenário é de queda de juros da economia, analise as porcentagens do prefixado e então poderá escolhê-lo.

Normalmente, os CDBs têm uma quantia mínima de captação pelos bancos. Existe uma certa lógica: quanto maior o montante que você empresta de uma só vez, maiores são os juros prefixados ou pós-fixados. Quanto mais dinheiro você aporta, maior a oferta de juros do banco. Outro aspecto importante é que, quanto mais tempo o dinheiro fica no banco, maiores são os juros.

Você pode verificar que existe CDB para resgate com um ano ou até menos, mas os juros são bem menores. Há ainda o CDBs que só capta R$ 1.000 minimamente por cliente, por exemplo, e então você percebe que os juros, nesse caso, são menores.

A lógica é: quanto mais você coloca dinheiro de uma vez só no banco, e quanto mais tempo fica lá o dinheiro, maior a rentabilidade.

Para investir em CDB, é importante que você já tenha um capital de emergência, porque não vai ser tão simples tirar o dinheiro dessa modalidade de investimento.

Existem três tipos de CDB quanto à liquidez: um CDB que lhe permite uma **liquidez diária**, ou seja, se você investir hoje e precisar do dinheiro amanhã, você poderá sacar. Porém, fazendo isso, terá uma punição: não terá ganhos. Irá incidir nisso um imposto chamado IOF, que é o imposto sobre operações financeiras. Se você sacar amanhã, seu investimento será de apenas um dia, e você não ganhará nada. Se você sacar após um período mínimo de 30 dias, já haverá juros, porém irrisórios, e esse é o CDB com liquidez diária.

Há também outro tipo, que permite **liquidez a partir de um dado momento**. Alguns bancos estabelecem um prazo mínimo a partir do qual pode haver liquidez. Por exemplo, se você investiu com resgate previsto para daqui a 36 meses, e o banco diz que a liquidez só pode acontecer daqui a 1 ano, então você só poderá sacar seu recurso após esse período.

Há ainda outro tipo, que **não permite liquidez diária**. Você só pode sacar no final. Essa é a regra. Então, normalmente, quanto mais bloqueado fica o seu dinheiro no CDB e quanto maior o montante, maiores são os juros.

Devido a isso, para investir em CDB é preciso ter uma reserva de emergência, para que você não fique mexendo no recurso investido por qualquer motivo. Coloque o dinheiro no CDB e deixe lá. Na data do vencimento, os rendimentos já vão para a sua conta.

Você pode fazer esse investimento a partir de um banco ou de uma corretora (frequentemente a melhor opção) se preferir.

CDB HÍBRIDO

Quanto ao CDB prefixado + índice (IPCA+), ou seja, o híbrido, que é uma modalidade de pós-fixado, você só saberá quanto vai ganhar no final. Verifique as opções e tome uma decisão. Para quem é indicado esse tipo de CDB híbrido? Para uma pessoa que quer proteger o seu patrimônio da inflação.

Imagine um cenário em que o investidor visualiza que a inflação vai aumentar muito e ele não quer arriscar no prefixado. Digamos que a inflação prevista seja de 6%, ou seja, uma grande inflação. Nesse cenário, você vai conseguir um índice de IPCA, ou seja, proteção dos 6%, mais alguns juros, como 3% ou 4%, que corresponde ao ganho real.

Olhe esse exemplo: Imagine que o Banco Núcleo MD quer captar R$5.000 do cliente e o dinheiro vai ficar lá por 36 meses, e então acorda que lhe pagará IPCA + 5%. Ele lhe paga a inflação do período, protege o capital, resguardando o seu poder de compra, mais 5%, que é o ganho real.

Todas as vezes que você visualizar que um investimento vai lhe pagar o IPCA, lembre-se disso: manutenção do poder de compra. A garantia de ganho real só vem a partir dos juros além do IPCA.

Pode ser que você encontre CDBs de menor valor, como por exemplo, R$1.000 ou R$2.000, mas lembre-se sempre da lógica quando for investir. Quando a captação é muito alta, como R$6.000 ou R$10.000, normalmente os juros são maiores. Quando a captação é mais baixa, como R$1.000, os juros pagos pelo banco são menores.

Já vimos o prefixado para o indicador de cenário de redução da Selic e IPCA; um pós-fixado que é o híbrido, indicado para proteção de capital, para situações em que, por exemplo, o IPCA está se elevando e está instável a política econômica, e então fica indicado o investimento de CDB prefixado + índice (IPCA+); e, por fim, o terceiro tipo, que é o pós-fixado puro.

CDB PÓS-FIXADO PURO

O pós-fixado puro é indicado para um cenário de provável aumento da taxa de CDI, que é a taxa referencial de juros que os bancos praticam entre si, a qual, usualmente, fica muito próxima à taxa Selic. Quando a economia tende a aumentar os juros, é um bom momento para investir no CDB pós-fixado. Quando a economia estiver reduzindo os juros, você pode optar por outras opções melhores de investimentos.

Olhe o exemplo: imagine que a taxa Selic está aumentando ao longo dos anos, assim, os juros de mercado e a relação interbancos estão marcando um CDI mais elevado. Então o CDI é mais ou menos a Selic. Imagine que, nesse ano hipotético, o CDI deu 12%. Então, o Banco Núcleo MD quer captar R$5.000, o dinheiro vai ficar parado por 36 meses, e o pagamento será 100% do CDI. Você deve consultar quanto está o CDI, que fica variando, mas pode ser analisada a média histórica. Se o CDI do período for 12%, então o pagamento correspondente a 100% disso será 12% ao ano. Se o CDI do período foi 14%, nesse caso, o pagamento será de 14% ao ano. Essa taxa de juro é variável entre CDBs, por isso atualiza-se. Você deve buscar uma lógica: quanto mais próximo dos 100% ou quanto maior que 100%, melhor. Se o banco paga 100% do CDI, isso é bom, pois corresponde aproximadamente aos juros de mercado. E se ele paga menos que 100%, aí já não fica tão interessante.

O que acontece é que os bancos de maior credibilidade conseguem captar com mais facilidade o seu dinheiro e, devido a isso, pagam uma taxa menor. Os bancos de menor credibilidade, por sua vez, pagam uma taxa maior, porque têm mais dificuldade de captar recursos.

O CDB tem a garantia do FGC, que é o Fundo Garantidor de Crédito. Cada vez que investe no banco, você tem esse seguro de todo o valor investido até um valor máximo estipulado por aplicação.

Exemplo, se você tem investido no Banco Núcleo MD até R$250.000 por CDBs, e o banco vai à falência, o FGC vai te dar o dinheiro de volta, porque estava assegurado até esse valor. O ideal é que você não ultrapasse essa quantia de investimento por banco, pois, investindo mais que isso, você só estará protegido até R$250.000. Como existem grandes opções de bancos para você investir, pois há dezenas de bancos pedindo dinheiro emprestado, você pode investir uma parte do seu dinheiro em um, outra parte em outro, desde que não ultrapasse os R$250.000. Se quiser arriscar, por livre consciência, você arrisca, mas sabendo que, se o banco falir, ele só vai lhe pagar até R$250.000.

IMPOSTO DE RENDA DO CDB E EXEMPLOS DE INVESTIMENTOS

O imposto de renda só vai ser debitado no último dia da aplicação, ou seja, se é para 36 meses, o lucro vai sendo acumulado ao longo desse período, e, no final, é considerado o lucro que você tem e disso é tirado o imposto de renda.

O percentual a ser debitado do imposto de renda é variável a depender do período em que seu recurso estará aplicado. Quanto menor o tempo, maior a alíquota.

Isso é interessante, porque o imposto de renda retirado só no final do investimento faz com que você tenha um montante cada vez maior. Então, não fique tirando dinheiro e comprometendo os juros compostos que vão incidindo sobre seu recurso. No final, haverá mais dinheiro e lucratividade.

Por exemplo, existem alguns fundos de investimentos de Renda Fixa cuja regra é a cobrança de imposto de renda a cada 6 meses, e aqui não, só acontecerá no final. Outro benefício é que não há taxa de administração. É cobrado apenas o CDB.

Veja um exemplo em que o recurso passou 2 anos investido no CDB:

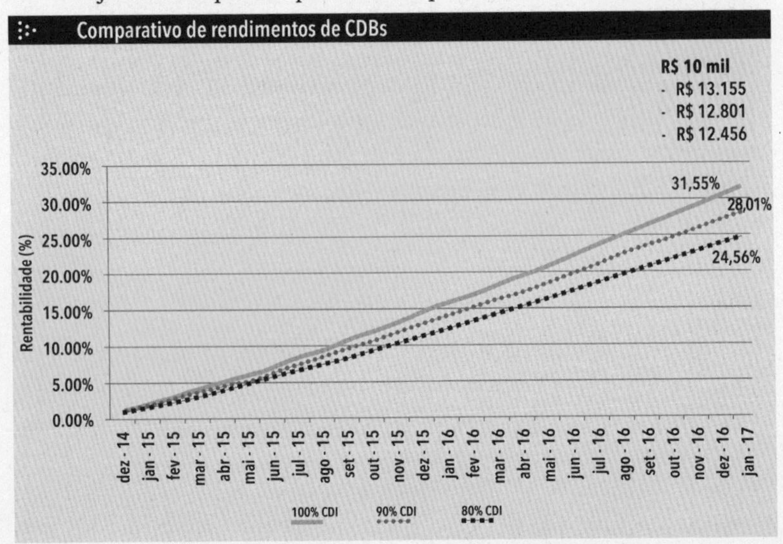

Figura 8: Comparativo de rendimentos de CDBs

No gráfico, há 3 tipos de porcentagens. Imagine que você investiu R$10.000 em dezembro de 2014 em três tipos de investimento.

No primeiro tipo, o banco pagou para você **100% do CDI**, ou seja, pagou o valor exato da taxa que os bancos utilizam para fazer empréstimos entre si. Outro banco tinha estabelecido **90% do CDI**. Imagine que esse seja um banco de maior credibilidade e, portanto, mais seguro e que tem maior facilidade em captar dinheiro, então propõe pagar só 90%. Outro banco disse que só pagaria **80% do CDI**.

Considerando esse caso, ao final do período de investimento no primeiro banco, você teria R$13.155. No banco que pagou apenas 80% do CDI, você teria R$12.456.

Perceba que você deve batalhar e fazer de tudo para se aproximar ao máximo do CDI ou superá-lo. Como existe o FGC, Fundo Garantidor de Crédito, você pode investir em bancos de menor credibilidade valores até o valor máximo garantido, porque, se o banco falir, o FGC vai lhe pagar.

Como foi dito, bancos menores geralmente pagam juros maiores, você pode até encontrar um banco menor pagando 110% ou 120% do CDI, são juros consideráveis que farão muita diferença.

No exemplo dado, de dezembro de 2014 a janeiro de 2017, há variações do CDI de 80%, 90% e 100%. Isso, de forma real, representa você ganhar 24%, 28% e 31%, respectivamente, durante todo o período. A diferença é considerável entre 24% e 31%: você ganharia R$12.456 ou R$13.555. Então, a depender de quanto investe, você obterá melhores resultados. Se optar por investir no pós-fixado, busque sempre CDIs próximos a 100%.

Veja mais uma comparação para exemplificar:

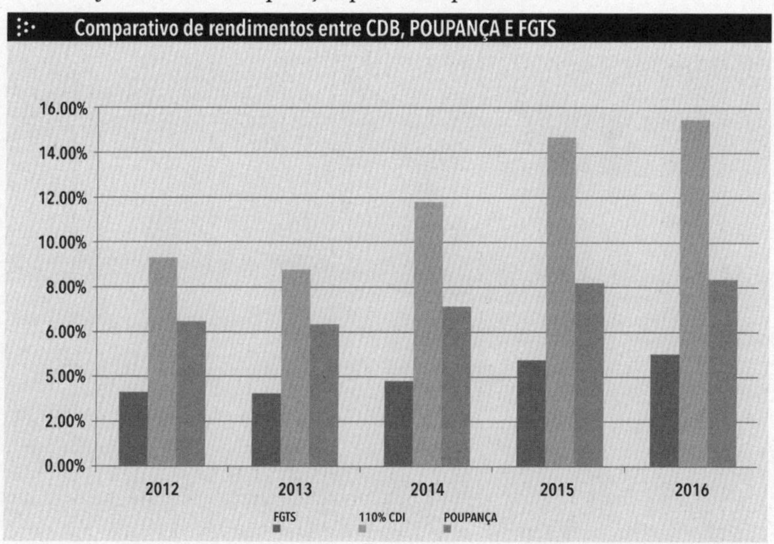

Figura 9: Comparativos de rendimentos de CDB, Poupança e FGTS

Aqui são três tipos de rendimentos. O **preto** corresponde ao FGTS, que é o dinheiro que é cobrado enquanto você trabalha. Veja os rendimentos referentes aos anos de 2012 a 2016. Em 2012, o FGTS rendeu um pouco mais de 2%, em 2014 quase 4%, em 2015 e 2016 um pouco mais de 4%.

O **cinza escuro** é um investimento pelo qual foi pago 110% do CDI. Veja a diferença: em 2012, mais que 8% e, em 2016, quase 15%. Veja que foi uma excelente opção nesse período.

O **cinza claro**, por sua vez, corresponde à poupança. Quem optou por investir nela em 2016, ganhou apenas 8% e quem investiu em CDBs na opção de ganhar 110% do CDI ganhou quase o dobro: cerca 15% nesse período!

Então é uma comparação que demonstra que o CDB, quando busca taxas próximas aos CDIs, como 100% ou mais que isso, você tem bons resultados, pelo menos na média histórica, sempre maiores que a poupança. Agora você já tem um poder de comparação maior.

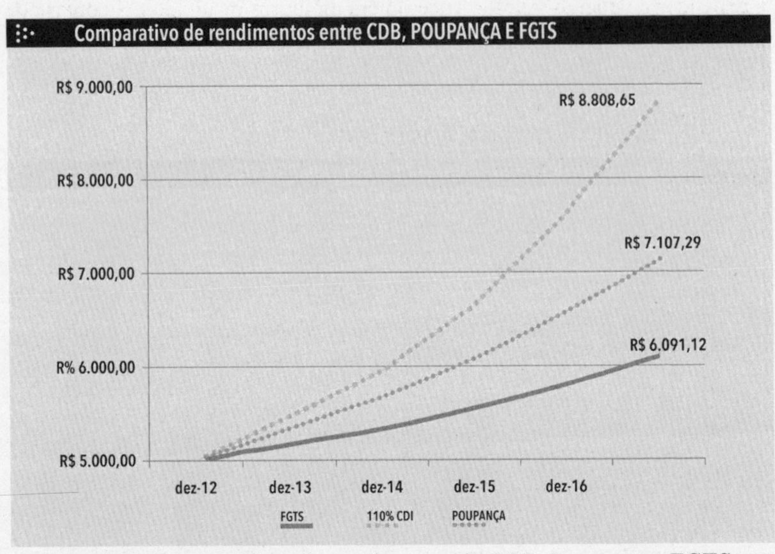

Figura 10: Comparativos de rendimentos de CDB, Poupança e FGTS

Esse é mais um exemplo comparativo - durante o período de 2012 até um pouco além de dezembro de 2016 - de um eventual investimento que você poderia ter feito, representado em três tipos: FGTS, que não lhe dá opção de resgate a qualquer momento e permanece no banco por certo tempo, um CDB que paga 110% do CDI e poupança. Então, imaginando o investimento inicial de R$5.000, você teria, com o FGTS, R$6.000, de 2012 a 2016. Em poupança, os R$5.000 teria se transformado em R$7.107, e, no CDB com taxa de 110% de CDI, os seus R$5.000 se transformaria em R$8.800.

Está vendo por que é importante buscar um investimento em CDB mais próximo de 100% do CDI? São boas opções, mas sem a facilidade de liquidez. Lembrando que é importante que você tenha segurança em ter disponibilidade de outro recurso, dinheiro, pois, se precisar de forma emergencial, não precisará ficar tirando do CDB – alguns inclusive nem permitem que isso seja feito!

A seguir um exemplo de tributação, as taxas são variáveis a depender da aplicação e do cenário econômico. No exemplo proposto, quando terminar o período que você emprestou dinheiro ao banco, esse recurso vai cair na sua conta, e se emprestou por até 6 meses, pagará uma alíquota de imposto de renda correspondente a 22,5% sobre os juros que foram gerados. Por exemplo, se você empresta R$10.000 e tem um rendimento de R$2.000, o imposto de renda será 22,5% destes R$2.000, isso se o rendimento foi de 0 a 6 meses. Acima de 6 meses até 1 ano, pagará 20% sobre o lucro; de 1 a 2 anos, pagará 17,5%; acima de 2 anos fica mais baixo: 15%. Essa tabela é expressa em quantidade de dias: até 180 dias (que corresponde a 0 a 6 meses), o imposto de renda é 22,5%, e acima de 721 dias, 15%.

Certificado de Depósito Bancário (CBD) | TRIBUTAÇÃO

ALÍQUOTA IR	TEMPO DE APLICAÇÃO
22,5%	0 a 6 meses
20%	6 meses a 1 ano
17,5%	1 ano a 2 anos
15%	Acima de 2 anos

PRAZO	ALÍQUOTA (%)
Até 180 dias	22,5%
De 181 a 360 dias	20%
De 361 a 720 dias	17,5%
Acima de 721 dias	15%

TX ADM.
IOF SE < 30 DIAS

Figura 11: Alíquota de Imposto de Renda conforme quantidade de tempo da aplicação

Dois pontos importantes é que o CDB é uma opção de investimento pelo qual o banco ou a corretora não vai cobrar a taxa de administração. Isso é bom, porque os juros serão vistos de forma real na sua conta.

O Imposto sobre Operações Financeiras, IOF, será cobrado se você sacar o CDB num período menor que 30 dias. Se você investe no CDB e, um tempo depois, em menos de 30 dias, decide tirar o dinheiro por qualquer motivo, pagará esse imposto, que vai tirar todo o seu lucro daqueles dias, então essa será a sua penalidade. Quem investe em CDB já deve ter essa garantia de que o dinheiro ficará parado durante o tempo acordado.

PRÁTICA!

Mãos na massa, vamos saber agora o passo a passo para investir em CDB.

Nesse momento, você pode entrar na conta no site da sua corretora.

Clique em "Renda Fixa", o que fará aparecerem as opções desse tipo de investimento. Em qualquer corretora, o caminho é semelhante. Será mostrada a lista de opções (Tesouro Direto, LCI, LCA etc.) que a corretora tem para que você possa investir em alguns bancos. Veja o exemplo na imagem:

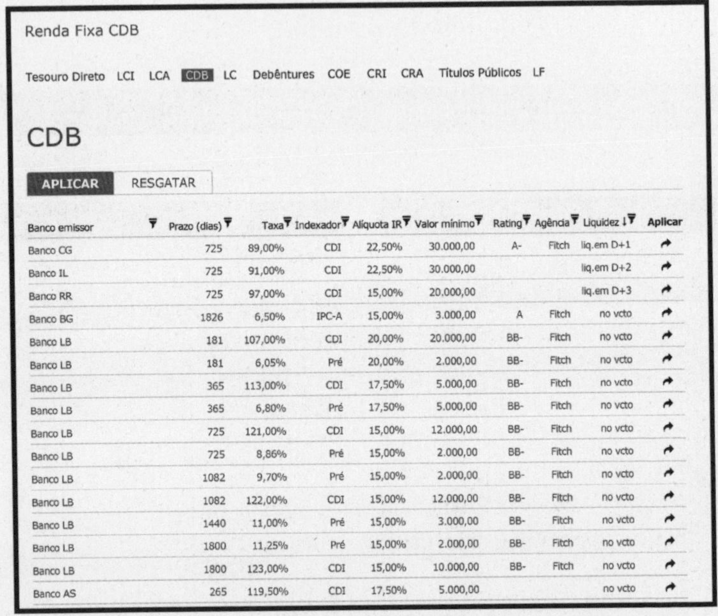
Renda Fixa CDB

Tesouro Direto LCI LCA CDB LC Debêntures COE CRI CRA Títulos Públicos LF

CDB

APLICAR RESGATAR

Banco emissor	Prazo (dias)	Taxa	Indexador	Alíquota IR	Valor mínimo	Rating	Agência	Liquidez	Aplicar
Banco CG	725	89,00%	CDI	22,50%	30.000,00	A-	Fitch	liq.em D+1	
Banco IL	725	91,00%	CDI	22,50%	30.000,00			liq.em D+2	
Banco RR	725	97,00%	CDI	15,00%	20.000,00			liq.em D+3	
Banco BG	1826	6,50%	IPC-A	15,00%	3.000,00	A	Fitch	no vcto	
Banco LB	181	107,00%	CDI	20,00%	20.000,00	BB-	Fitch	no vcto	
Banco LB	181	6,05%	Pré	20,00%	2.000,00	BB-	Fitch	no vcto	
Banco LB	365	113,00%	CDI	17,50%	5.000,00	BB-	Fitch	no vcto	
Banco LB	365	6,80%	Pré	17,50%	5.000,00	BB-	Fitch	no vcto	
Banco LB	725	121,00%	CDI	15,00%	12.000,00	BB-	Fitch	no vcto	
Banco LB	725	8,86%	Pré	15,00%	2.000,00	BB-	Fitch	no vcto	
Banco LB	1082	9,70%	Pré	15,00%	2.000,00	BB-	Fitch	no vcto	
Banco LB	1082	122,00%	CDI	15,00%	12.000,00	BB-	Fitch	no vcto	
Banco LB	1440	11,00%	Pré	15,00%	3.000,00	BB-	Fitch	no vcto	
Banco LB	1800	11,25%	Pré	15,00%	2.000,00	BB-	Fitch	no vcto	
Banco LB	1800	123,00%	CDI	15,00%	10.000,00	BB-	Fitch	no vcto	
Banco AS	265	119,50%	CDI	17,50%	5.000,00			no vcto	

Figura 12: Tela de comparativo de rendimentos em bancos

Você verá o nome do banco, qual o prazo, em dias, que o banco quer ficar com seu dinheiro e qual taxa será paga a você. Nesse momento, verifique o indexador: se é CDI, veja qual porcentagem dele lhe será paga.

Exemplo #1

CDB 89% do CDI 180 dias R$30.000 A- Fitch[15]

Neste exemplo a porcentagem é de 89% do CDI, com um prazo de 180 dias para ficar com seu dinheiro. Nesse período, você deverá pagar o imposto de renda de 22,5% e o valor mínimo desse investimento é R$30.000.

A corretora dirá também qual a credibilidade do banco através de um ranking de uma agência. A classificação ou rating é apontada. O exemplo apontado foi feito pela agência Fitch, que classificou o banco como A-. Você pode verificar qual o nível de classificação, mas saiba que quanto mais próximo ao A, melhor é o posicionamento. Quanto mais distante do A, pior é a classificação. O menos representa "ruim", e, quando não houver nada, é porque não houve avaliação.

No exemplo em questão, o dinheiro é captado por 180 dias, é pago 89% do CDI, o imposto de renda no final é de 22,5%, e o valor mínimo de investimento é R$30.000.

Para saber o seu ganho real, pode usar a Calculadora do Cidadão[16], pelo site ou aplicativo feito pelo Banco Central. Lá, você colocará esses dados e então terá a visualização do lucro que obterá.

Exemplo #2

CDB 97% do CDI 1000 dias R$30.000 A- Fitch

Essa outra opção oferece pagamento de 97% do CDI. Os juros aumentaram, mas o período também aumentou, e imposto de renda diminuiu para 15%, porque o investimento é por um período maior que o anterior.

15 Fitch. https://www.fitchratings.com/site/brasil

16 Calculadora do Cidadão. https://www.bcb.gov.br/calculadora/calculadoracidadao.asp

Certificado de depósito Bancário (CDB) // **TRIBUTAÇÃO**

Alíquota IR	Tempo de Aplicação
22,50%	0 a 6 meses
20,00%	6 meses a 1 ano
17,50%	1 ano a 2 anos
15,00%	Acima de 2 anos

Prazo	Alíquota (%)
Até 180 dias	22,5%
De 181 a 360 dias	20%
De 361 a 720 dias	17,5%
Acima de 721 dias	15%

Tx adm.
IOF se < 30 dias

Figura 13: Tributação de Imposto de Renda conforme tempo de aplicação

Exemplo #3

CDB 107% do CDI 725 dias R$20.000 BB- Fitch

Esse outro exemplo paga 107% do CDI, se você investir R$20.000. Por que este oferece 107% e o outro 89%? Veja a credibilidade do banco: este é BB- e o outro é A-, ou seja, credibilidade maior e mais facilidade de captar dinheiro. Então, quanto mais dificuldade de captação, mais oferta de juros.

Vamos ver outro indexador.

Exemplo #4

CDB IPCA+ 6,5% 1826 dias R$3.000 A- Fitch

Esse CDB é indexado pelo IPCA, e assim paga o IPCA + 6,5%. Os juros são maiores que os outros exemplos, mas o período também é maior: 1826 dias, ou seja, 60 meses. O investimento mínimo é de R$3.000 e o posicionamento do banco é bom: A.

Exemplo #5

CDB pré-fixado 6% 181 dias R$2.000 BB- Fitch

Este quer captar seu dinheiro por 181 dias. É um prefixado que paga 6%. O imposto de renda é 20%, e o valor mínimo investido é de R$2.000.

Então aqui temos três opções: bancos que vão pagar para você certa porcentagem do CDI, o IPCA mais uma porcentagem ou prefixado.

Nos exemplos fictícios, há valores mínimos de R$30.000, R$20.000, R$3.000.... Os CDBs geralmente têm investimentos maiores, mas você pode encontrar valores mínimos de investimento menores na sua corretora.

Depois que você fizer a escolha do seu interesse, é só clicar, na sua corretora, em "aplicar". O próximo passo vai direcionar você a uma tela em que você colocará qual valor quer investir no banco em que você clicou.

Você digitará sua assinatura eletrônica. Além do login, a corretora ou o banco lhe dará também, por medida de segurança, uma assinatura eletrônica. Você deve clicar o valor que quer investir, depois clique em "aplicar", e pronto! Você aplicou no CDB! Último passo.

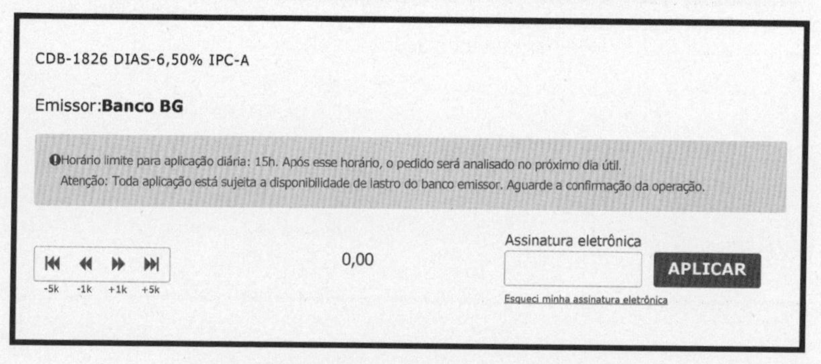

Figura 14: Tela para assinatura eletrônica

Você acessa a conta da sua corretora para saber se o CDB está lá. Basta clicar em "custódia", e aparecerão todos os seus investimentos: ações, opções, Renda Fixa... Clique em Renda Fixa, e lá aparecerão o banco em que você investiu, a quantidade investida, a data de vencimento, a taxa de negociação, e aparecerá também a mensagem "em liquidação", pois você acabou de fazer o investimento.

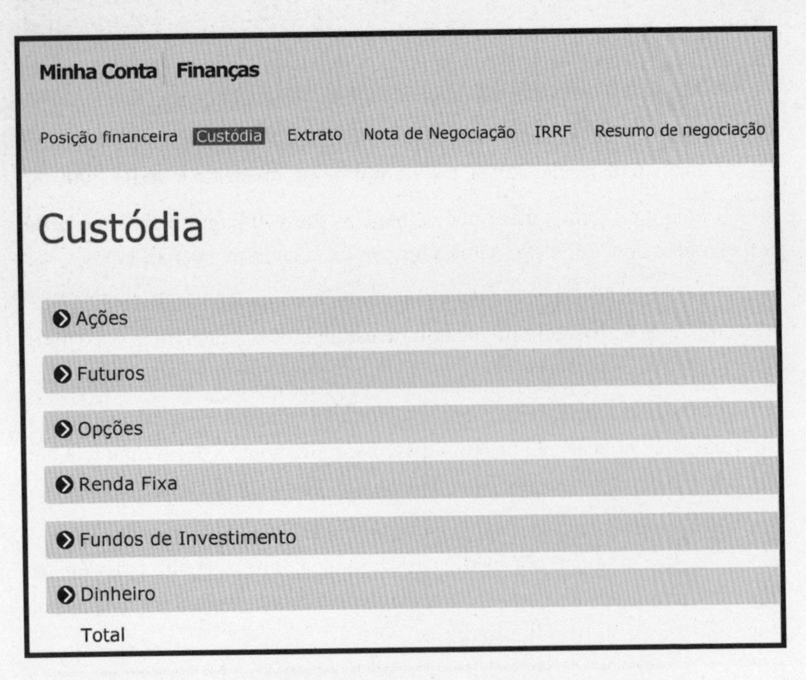

Figura 15: Tela para visualização de aplicações na corretora

No dia seguinte, estará assim:

Verificação de Custódia

Ativo	Emissor	Qtde.	Investimento	Vencimento	Taxa Negociada	IR/IOF/Taxa BVMF(*)	Valor
CDB	Banco MA	4	4.000,00	16/12/2022	12.50% do PRÉ	0	Em Liquidação
CDB PRE DU	Banco MA SA	6	6.000,00	08/12/2022	12.50%	13,34	6.016,84

Figura 16: Tela de verificação de custódia

Você verá o CDB, o valor que investiu, a data de vencimento e quanto que está o seu dinheiro hoje. Se você investiu R$6.000 ontem, hoje esse valor está R$6.016. A cada dia, vai aumentando o valor.

Até a data de vencimento, automaticamente, o dinheiro vai cair na conta da sua corretora novamente para você fazer novo investimento ou sacar para sua conta do banco.

É assim que funciona! É importante dizer que, dependendo da corretora, já aparecerá quanto de imposto de renda você pagará no final.

Para investir em CDBs, é simples assim; com esse passo a passo você verificou mais uma opção de investimento para você adicionar à sua carteira de investimentos.

LCI/LCA

16

Dinheiro e sucesso não mudam as pessoas, eles só ampliam o que já está lá.

Will Smith

As siglas significam Letra de Crédito Imobiliário (LCI) e Letra de Crédito do Agronegócio (LCA).

Nas Letras de Crédito Imobiliário e do Agronegócio, os bancos captam recurso de você como cliente e de outros clientes para alocar os recursos em investimentos imobiliários e do agronegócio.

São dois pontos importantes da economia de qualquer nação, ainda mais de uma que está em ascensão, um país em desenvolvimento, por isso o governo deu um benefício para quem investir nesses setores, que foi a isenção do Imposto de Renda.

Até aqui você só conheceu um investimento que tem isenção do imposto de renda, que é a poupança, e você já viu as características: não há tanta rentabilidade assim. LCI e LCA, por sua vez, dentre as opções de Renda Fixa, são os que figuram com maior rentabilidade, segurança de Renda Fixa e isenção de imposto de renda. O CDB, tema do capítulo anterior, tem imposto de renda, embora tenha boa rentabilidade com as escolhas que você faz no dia. Há várias opções com boas escolhas. A grande característica do LCI e LCA é essa: isenção de imposto de renda.

Imagine só: em CDBs, após 2 anos de investimento, você terá 15% imposto de renda sobre os lucros. Com LCI e LCA você não terá que pagar isso.

Suponha que você obteve um lucro de R$10.000, então você já deixa de pagar um imposto de renda de R$1.500. É um valor considerável, ainda mais levando em conta um período de longo prazo; se o LCI e o LCA fizerem parte da sua carteira para aposentadoria, por exemplo, quanto mais longo o prazo, mais diferença faz o imposto de renda sobre os investimentos.

Então é interessante ter LCI e LCA dentro da sua carteira de investimentos. Esses investimentos podem ser feitos nas corretoras, de forma simples, como o CDB. Clique na opção de Renda Fixa, em seguida em LCI/LCA e analise as taxas.

É importante conhecer como se divide o LCI e o LCA. Assim como o CDB, esse investimento tem as versões prefixada e pós-fixada. Na maior parte dos casos, você vai encontrar LCI e LCA pós-fixados atrelados ao CDI como indexador. Então, assim como no CDB, você busca taxas próximas a 100% do CDI, embora seja mais difícil de encontrar do que no CDB. Aqui, você vai encontrar cerca de 90% a 95% do CDI, mas, mesmo uma taxa de 95% - e você verá isso daqui a pouco, quando fizermos uma simulação - é melhor do que 100% do CDI para investimento no CDB, simplesmente porque, nessa taxa, não está incluso o imposto de renda.

O LCI e o LCA também têm **segurança** de Renda Fixa, pois também são garantidos pelo FGC. Até o teto máximo para investir com garantia, o Fundo Garantidor de Crédito garante seu investimento no LCI e LCA, por isso se diz que eles apresentam baixo risco, assim como todos de Renda Fixa, porém, têm um diferencial que é associar baixo risco com maior rentabilidade.

Na maior parte do tempo, historicamente falando, percebe-se que o LCI e o LCA se destacam com uma porcentagem a mais de **lucratividade**, quando comparados a outras opções de Renda Fixa. Sempre que houver a possibilidade de investir em LCI e LCA e comparar com outros investimentos como CDB, você vai verificar, na maior parte dos casos, que o LCI vai apresentar um maior rendimento.

Na maioria das corretoras, não é cobrada taxa de administração, o que é mais um benefício que contribui para o aumento da **rentabilidade** nesse tipo de investimento.

O LCI e o LCA, diferente de outros investimentos que têm uma maior **liquidez**, apresentam uma liquidez muito baixa. Ao investir em LCA, você não tem a opção, na maioria dos casos, de retirar o dinheiro antes do período de vencimento. Se você combinou com o banco que seriam 3 anos de investimento, só depois desse período poderá tirar o dinheiro. O LCI ainda apresenta algumas opções de liquidez depois de um tempo, mas, de forma geral, entenda que investir em LCI e LCA exige que você tenha uma garantia com outro recurso, caso precise de forma emergencial, pois não conseguirá tirar com facilidade seu dinheiro investido nessas opções – até consegue, em alguns casos, mas não conte com isso.

> Então, quando optar por investir em LCI e LCA, você verá que ele tem maior rentabilidade em relação aos demais. Em contrapartida, você precisará deixar o dinheiro lá, comprometendo sua liquidez. Isso não é ruim, se você já tem uma reserva de emergência, pois o LCI e o LCA lhe permitirão maior lucratividade.

Outro ponto importante é que a taxa de entrada para LCI e LCA é bem maior que em outros tipos de investimentos. Você vai encontrar, na sua corretora, opções bem variadas de entrada, portanto o valor inicial é bem maior e a liquidez é menor.

Lógico que investir em LCI e LCA é próprio para um momento em que você já estiver ampliando suas possibilidades de carteira e pode deixar o dinheiro parado por mais tempo. Você vai encontrar opções de duração de 1 ano, 5 anos.... Verifique na sua corretora as opções. Você pode ter mais de uma conta em várias corretoras, então procure consultá-las para conhecer as opções disponíveis de LCI e LCA.

Quando você investe em LCI, já sabe que é um investimento direcionado para o setor imobiliário. Quando investe em LCA, é para o agronegócio. Em termos teóricos, você já sabe que investirá para esses setores da economia do país, mas, em termos práticos, você deve visualizar, na sua corretora, quanto do CDI que está pagando. A que oferecer maior rentabilidade será o alvo do seu investimento, a não ser que você tenha o desejo de investir especificamente no agronegócio, sem necessariamente ter a melhor rentabilidade no dia do seu investimento; contudo, acredito que você buscará a melhor rentabilidade. Investindo em agronegócio ou na área imobiliária, você estará contribuindo para o crescimento do país, em contrapartida, não lhe será cobrado o imposto de renda.

Então, baixo risco, alta rentabilidade, pois não há cobrança de imposto de renda, e ausência de taxa de administração, na maioria das corretoras, são características do LCI/LCA. Alguns riscos existem: risco de crédito e risco de liquidez. O risco de crédito existe para toda Renda Fixa, que corresponde ao risco de o banco falir e comprometer o seu crédito, mas há o seguro de FGC, Fundo Garantidor de Crédito, que assegura até um teto X. Então há o risco de crédito, porém existe o FGC, que dá segurança para você investir.

Há ainda o risco de liquidez, sobre o qual já falamos, mas agora com uma diferenciação, a possibilidade de você precisar do dinheiro e não poder pegá-lo. Então o risco é para você, que precisa do dinheiro, mas não pode acessá-lo antes da data do vencimento do LCI/LCA.

Só invista em LCI/LCA, portanto, se você tiver a consciência de que pode deixar o dinheiro alocado pelo tempo que você estipulou junto à instituição financeira, dentre as opções existentes de 1 ano, 2 anos, 3 anos, 4 anos...

PRÁTICA!

Mãos na massa, vamos saber agora o passo a passo para investir em LCI/LCA.

Exemplo #1

LCI

APLICAR

Banco emissor	Prazo (dias)	Taxa	Indexador	Taxa eq. CDB	Alíquota IR	Valor mínimo	Rating	Agência	Liquidez
Banco MA	180	92,00%	CDI	118,18%	Isento	1.000,00			no vcto
Banco MA	362	98,00%	CDI	117,95%	Isento	1.000,00			no vcto
Banco MA	720	99,00%	CDI	118,34%	Isento	2.000,00			no vcto
Banco PI	365	94,50%	CDI	113,76%	Isento	10.000,00			no vcto
Banco PI	540	95,50%	CDI	114,59%	Isento	10.000,00	A+	Fitch	no vcto
B SA	730	3,10%	IPC-A	0,00%	Isento	30.000,00			no vcto
B SA	757	97,00%	CDI	112,77%	Isento	30.000,00			no vcto
B SA	1096	3,60%	IPC-A	0,00%	Isento	30.000,00			no vcto
B SA	1127	101,00%	CDI	116,72%	Isento	30.000,00			no vcto

Figura 17: LCIs/LCAs hipotético na tela da corretora

Você clica na sua corretora, vai no item investimentos de Renda Fixa e clica LCI ou LCA, e então serão mostradas as opções.

Na figura, temos o exemplo para LCI, onde você encontrará características similares ao que pode ser encontrado no CDB.

Primeiramente, o banco emissor. Depois, o prazo, que é quando vence esse crédito. Na primeira opção, você vê 180 dias, que é o tempo durante o qual o dinheiro vai ficar parado. Veja ainda qual a taxa: por exemplo, 92% do CDI. Se você sabe qual o CDI (basta buscá-lo na internet), pode calcular na Calculadora do Cidadão quanto isso pode lhe render nesse período. Algumas corretoras informam qual a taxa de equivalência ao CDB. Por exemplo, se você investir no CDB com 118% do CDI, será a mesma coisa que investir no LCI com 92% do CDI, isso porque você soma o valor do imposto de renda. É como se a taxa de equivalência fosse a taxa do CDI mais o imposto de renda. Já que no LCI/LCA não há imposto de renda, então é colocada uma taxa de equivalência só para você ter uma maior facilidade na hora de comparar os investimentos.

Continuando os exemplos, se um banco quer captar de você R$1.000 por 180 dias e lhe paga 92% do CDI, que equivale a 118% do CDI ao investir em CDB, basta clicar em investir, colocar sua assinatura eletrônica, e seu investimento estará realizado.

Exemplo #2

Vamos ver outra opção: o banco quer ficar com seu dinheiro por 1.127 dias e lhe paga 101% do CDI, isso livre de imposto de renda. Lembre-se que um dos conceitos que você aprendeu no capítulo de CDB foi buscar o mais próximo possível de 100% do CDI, e aqui conseguiu 101%. Se você obtiver mais que 100%, melhor! Isso representa 116% de um CDB. Nesse caso, por passar mais dias retendo o dinheiro e pagar juros maiores, o investimento em questão pode exigir, na maioria das vezes, um aporte de entrada maior. Então, para essa opção, que oferece 101% do CDI e que não cobra imposto de renda, você deve começar com, pelo menos, R$30.000, e o dinheiro deve ficar parado pelo período todo, então sua adesão vai depender das suas possibilidades atuais, do quanto tem para investir e do quão diversificada é sua carteira. Se você inclui LCI/LCA, com alta taxa de entrada, nesse caso, R$30.000, e dinheiro parado por muito tempo, maiores suas chances de lucrar mais.

Quanto menos entra dinheiro, por exemplo, R$1.000, que é raro (o normal é cerca de R$10.000), menos você ganha – nesse caso, 92%.

Essa é a lógica do CDB, LCI e LCA.

Exemplo #3

Vamos agora comparar os investimentos de LCI, LCA e CDB.

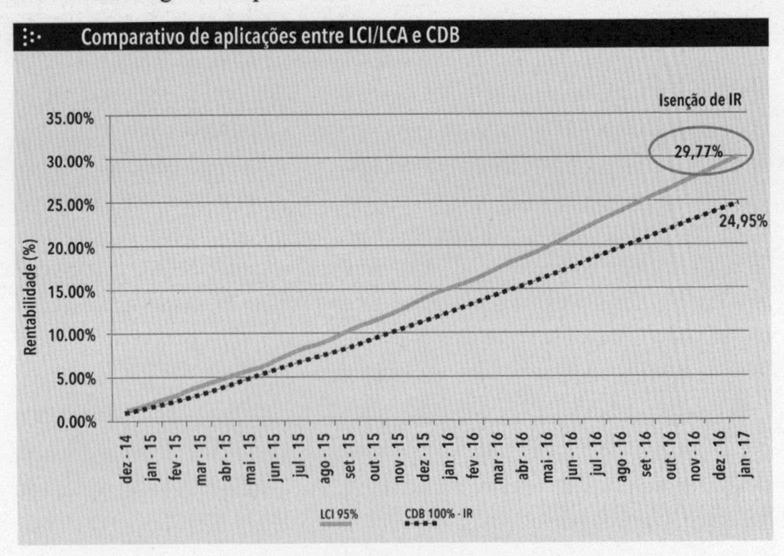

Figura 18: Comparativo de aplicações entre LCI/LCA e CDB

O gráfico mostra um investimento realizado de dezembro de 2014 até janeiro de 2017. O traço preto representa 95% do CDI num investimento em LCI. Lembre-se que aí não há cobrança de imposto de renda. Nesse período, o rendimento foi de 29,77%. Nesse mesmo período, com 100% do CDI, um investimento em CDB, pelo simples fato de o CDB cobrar imposto de renda, lucrou 24,95%, ou seja, aproximadamente 5% de diferença. Então não ter cobrança de imposto de renda é algo muito atrativo para os investidores que têm maior aporte de dinheiro para investir nessa letra de crédito imobiliário e do agronegócio, ao ponto de ter melhores resultados em longo prazo. Mais aporte, mais juros, menos liquidez: essa é a lógica.

Então LCI e LCA são simples assim: é garantido pelo FGC até R$250.000 por instituição, tem baixo risco, figura entre os investimentos de maior lucratividade dentre os de Renda Fixa e grande facilidade de acesso, a depender da sua quantidade de recurso disponível a ficar parado durante o período estabelecido pelo banco: de 180 dias até mais de 1.000 dias.

LCI/LCA é isso! Nós nos encontramos no próximo capítulo para falar sobre debêntures.

17 DEBÊNTURES

Não nos tornamos ricos graças ao que ganhamos, mas com o que não gastamos.

Henry Ford

Vamos continuar falando de empréstimos.

No CDB, você emprestou dinheiro ao banco.

No LCI/LCA, você continuou emprestando dinheiro ao banco, só que, dessa vez, direcionando recursos para o investimento em agronegócios e em letra de crédito imobiliário.

Debênture é simplesmente emprestar à empresa.

As empresas precisam de recursos para se estruturar, para criar novos serviços, para criar novos produtos e elas têm a opção de pedir dinheiro emprestado aos bancos, porém, nesse caso, estão sujeitas a taxas de juros maiores, então surgem as debêntures.

As debêntures são créditos lançados ao mercado. Quando os compra, você se torna credor da empresa, que diz quanto quer de cada investidor, quanto de juros pagará e por quanto tempo o dinheiro ficará com ela. Logicamente, os juros que ela pagará a você são bem menores do que os que ela pagaria aos bancos, portanto debêntures continuam sendo uma forma de emprestar dinheiro, porém, desta vez, diretamente a uma empresa, recebendo, portanto, juros maiores, na maior parte das vezes, do que o CDB, LCI e LCA. Isso acontece porque o risco de emprestar às empresas é mais elevado, o que, normalmente, vem associado a uma possibilidade maior de rentabilidade. Essa é a lógica do mercado: quanto mais exposto está o seu capital, maiores as chances de ter uma melhor rentabilidade. Contudo, você não vai colocar todo o seu dinheiro em debêntures, nem nos outros investimentos. A debênture é uma opção. Quando você opta por emprestar às empresas, você tem mais chances de elevar o seu capital, em termos de lucratividade, mas uma coisa você não pode esquecer: a debênture não tem a garantia do FGC, o Fundo Garantidor de Crédito. Isso quer dizer que todo o seu recurso pode ir a zero, caso a empresa vá à falência. Você tem que ver direitinho as garantias que a empresa fornece para você na hora da compra. Vamos ver passo a passo como você pode se subsidiar para fazer uma boa escolha quando for investir em debêntures.

Aspectos Positivos:

- Liquidez moderada
- Sem Imposto de Renda (empresas de infraestrutura)

Aspectos Negativos:

- Sem FGC
- Maior risco da Renda Fixa

Lembra que o LCI e o LCA têm uma liquidez mais difícil? Você não consegue resgatar o seu dinheiro com facilidade. Deve esperar até a data de vencimento, conforme combinado no ato do investimento. Já nas debêntures, essa **liquidez** se torna mais fácil do que os anteriores. Não é tão fácil quanto a poupança, mas, se você compra no mercado primário, pode colocar à venda no mercado secundário de debêntures e, se alguém se interessar por aquelas taxas, essa pessoa pode comprar, e isso vai ser exposto dentro da corretora, mas é necessário que a empresa seja muito conhecida e tenha boa credibilidade para que muitas pessoas tenham interesse de comprar essa debênture. Se for empresa pouco conhecida, provavelmente você vai expor sua debênture, ninguém vai querer comprar, e você será forçado a permanecer até o final.

Outro ponto importante é que há **cobrança de imposto de renda** em algumas debêntures, mas se for uma empresa que vai utilizar os recursos para infraestrutura do Brasil, o governo não cobrará imposto de renda sobre seus lucros, são as **debêntures incentivadas**. Então, se você optar por debêntures, verifique a cobrança de imposto de renda. Algumas vão se apresentar como isentas, outras apresentarão qual alíquota será cobrada, a depender do tempo que seu dinheiro vai ficar no investimento. Vale a pena fazer a comparação entre debêntures incentivada e não incentivada, a depender da taxa de juros que elas pagarão a você.

Um ponto negativo, como já lhe falei antes, é não haver a **garantia do FGC** para debêntures. Lembre-se que o FGC, por instituição e por CPF, garante até um teto de segurança. Dentre os investimentos de Renda Fixa, que, em teoria, são mais seguros em relação à Renda Variável, esse é o mais arriscado, porque, se a empresa falir, não tem o FGC, então o dinheiro vai a zero.

É preciso um bom check list e bons critérios na hora de optar por colocar debêntures na sua carteira de investimentos. Quando você compra debêntures, você se torna credor das companhias, ou seja, elas ficam devendo a você.

Quando você compra a debênture e assim se torna credor, existe, normalmente, uma taxa inicial de intermediação que a corretora cobra no ato da compra. Normalmente, não é cobrada taxa de administração frequente, mas você deve consultar a sua corretora e acessar a equipe de suporte, caso haja dúvida sobre a debênture ter ou não **taxa de administração**.

Quando você se torna credor da companhia, a depender da negociação, normalmente você recebe, a cada 6 meses, na sua conta, os **juros** acordados junto à empresa, e não só no final, quando entrará de volta o valor inicialmente investido. Isso limita um pouco os juros compostos, pois, já que a cada seis meses, o lucro vai sendo retirado, ele já sofrerá uma redução, diferente do CDB, em que o imposto de renda só é cobrado ao final.

Existem os **prefixados, os pós-fixados e os associados** a algum indexador, que é o híbrido que você já conhece, similar ao CDB. Numa corretora, você pode encontrar alguns prefixados, talvez na mesma corretora alguns pós-fixados associados a algum índice, como IPCA ou CDI, normalmente o primeiro, mas, na hora em que visualizar, na tela, é que você terá a ciência e possibilidade de comparação entre os tipos disponíveis, porque cada corretora vai disponibilizar alguns dentro da sua conta.

Você pode entrar no site debentures.com.br e ver todas as opções, mas, no site de cada corretora, são apresentados alguns papéis. Para alguns investimentos em debêntures, você precisa ser um investidor qualificado. Talvez possa acontecer de você abrir sua conta na corretora, clicar em Renda Fixa, em seguida, em debêntures, e nenhuma opção lhe aparecer. Isso quer dizer que você não é um investidor qualificado ainda.

Investidor qualificado é aquele que tem a possibilidade de investir uma grande quantidade de recursos, quem tem declarado uma volumosa quantia, em algum momento, em sua corretora. Outra opção é falar diretamente com os agentes de sua corretora para que eles chequem se você preenche os requisitos necessários e abram a possibilidade de debêntures para você. Então, se por acaso não aparecerem debêntures na sua conta, é porque você ainda não está qualificado e pode entrar em contato com sua corretora para saber como investir.

Dentre as opções de Renda Fixa, normalmente as debêntures são as últimas a entrar na carteira, se for essa uma das suas opções. Embora pague juros mais elevados que CDB e LCI/LCA, os riscos são bem maiores, então você não vai iniciar uma carteira de investimentos por debêntures, pois isso seria uma exposição muito alta do seu dinheiro, havendo a possibilidade de ele ir a zero, se a empresa for à falência.

Quando você for investir em debêntures, você deve estar ciente de algumas características importantes. Vão aparecer quais instituições querem captar recursos através de debêntures e então você vai clicar para fazer o download de um consolidado de informações daquela empresa.

Você deve avaliar, por exemplo, o ***rating***. Lembra o que é isso? É a classificação daquela empresa de acordo com sua credibilidade. Existem pelo menos três agências de rating mais conhecidas: S&P, Moody's e Fitch. Você vai verificar as classificações, sendo A+ boa, e B- ou B - - uma classificação baixa. Quanto mais A+, mais segurança. Então, com o rating, avalie se a empresa tem credibilidade o suficiente para que você empreste dinheiro a ela e se torne credor.

Outro ponto é verificar as **garantias**. Quando você clica na empresa que quer captar recursos, aparecem as garantias que ela dá. Algumas deixam como garantia o seu próprio patrimônio. Acesse e veja maiores detalhes.

Você deve verificar o **período de investimento**, o tempo em que seu dinheiro vai ficar parado, analisar se é ou não compatível com suas possibilidades considerando se vai ou não precisar daquele recurso no tempo acordado. Caso precise, existe a possibilidade de venda, se alguém estiver interessado na empresa da qual você se tornou credor.

Também é importante **comparar com outros investimentos** que você já conhece que tenham a garantia do FGC (LCI, LCA, CDB), pois não faz sentido colocar seu dinheiro numa debênture rendendo menos que um CDB.

Tendo o CDB o FGC, você vai colocar o seu dinheiro em debêntures, mesmo arriscando mais? A não ser que você já tenha atingido o topo máximo de recursos alocados no CDB, aí sim entram as debêntures. Contudo, se você não atingiu o teto de segurança, não há motivo para ir logo para debêntures, a não ser que, ao avaliar as características daquela empresa, você julgue que quer ganhar aquele recurso a mais, mesmo com a possibilidade de ter o patrimônio exposto a um maior risco em relação aos outros investimentos apresentados.

PRÁTICA!

Vamos pôr a mão na massa! Abra o site da sua corretora, clique em Renda Fixa e escolha a opção Debêntures. Talvez apareça, talvez não apareça. Se não aparecer, é porque você não está qualificado. Se aparecer, você verá algumas opções, como no exemplo a seguir:

Exemplo #1

Debêntures

COMPRAR | VENDER

Ativo	Vencimento	Taxa	Indexador	Alíquota IR	Valor mínimo	Rating	Agência	Liquidez
LUDMA3 - Luz de Minas	15/10/2026	6,60%	IPC-A	Isento	1.048,62	A	S&P	no vcto
ALGS10 - Algas Tec	15/03/2024	5,00%	IPC-A	Isento	1.153,94	AA-	S&P	no vcto
COSR33 - COSER	15/12/2025	4,50%	IPC-A	Isento	1.108,97	A+	Fitch	no vcto
INVG77 - INVOGA	15/01/2024	3,10%	IPC-A	15,00%	14.444,08	AA	Fitch	no vcto
CLUTB7 - Cluster	15/01/2027	4,50%	IPC-A	15,00%	14.314,71	AA	Fitch	no vcto
MILGC4 - Milgás	15/12/2027	4,30%	IPC-A	Isento	1.111,39	brAA-	S&P	no vcto
POMA28 - POMAR	15/10/2024	4,00%	IPC-A	Isento	1.094,64	AA+	Fitch	no vcto
CRAJC4 - Concess.CRAJUBAR	15/10/2024	3,00%	IPC-A	Isento	1.288,11	AA-	S&P	no vcto
TVIS22 - Três Vias	15/04/2026	4,00%	IPC-A	Isento	1.363,29	AA-	S&P	no vcto

Figura 19: Apresentação de debêntures fictícias na tela da corretora

No exemplo, visualizamos primeiramente o nome da empresa que quer captar recursos, o qual, ao ser clicado, apresenta as suas características, permitindo a você analisá-las com mais detalhes. Contudo, antes desse clique, algumas informações já aparecem.

Por exemplo: a empresa número 1 quer captar o dinheiro hoje e pagar a você em 2022 o IPCA mais 6,6%. Normalmente, o CDB, nesta ocasião, estaria pagando o IPCA mais 4%, ou seja, menos. Como as debêntures são mais arriscadas, a chance de ganhar mais juros é maior.

Ao investir seu dinheiro nessa empresa, você atrela o investimento ao IPCA e, portanto, protegendo o seu capital e obtém um ganho real de 6,6%.

Quanto ao imposto de renda, nesse caso, há isenção, porque é uma debênture incentivada pelo governo.

O valor de investimento mínimo é R$1.048. Quanto ao rating, é A, ou seja, tem uma boa classificação, e quanto à liquidez, o recurso só pode ser retirado no vencimento. A agência que classificou o rating foi a S&P – Standard & Poor's.

Exemplo #2

Vamos ver outros exemplos. A empresa número 4 quer captar R$14.000. Já não é uma debênture incentivada: veja que há alíquota de imposto de renda de 15%. Ela pagará a você, em 2023, o IPCA mais 4,5%. O mínimo para entrar é R$14.000, e a agência classificou a empresa como AA. A liquidez acontece apenas no vencimento, não havendo a possibilidade de retirada ou venda antes.

Você pode pegar duas ou três opções de investimentos, colocá-las na calculadora comparativa e verificar qual o mais rentável para você e, por fim, efetuar o investimento.

Essas debêntures apresentadas na figura são de baixo preço de entrada, porém você encontrará outras opções com valores bem mais altos, como R$200.000. Se você está no patamar de grandes investidores e já está próximo ao teto de garantia do FGC em investimentos como CDB, LCI e LCA, a debênture vai ser uma boa opção para você.

Aqui há exposição do seu capital a maiores riscos, entretanto, em longo prazo, você vai perceber que as debêntures oferecem lucros relativamente maiores.

Investir em debêntures é isso! Normalmente, não é uma opção de entrada, mas é uma opção de maior rentabilidade para quem está próximo ao teto do CDB, LCI, LCA ou outras opções protegidas pelo FGC.

18

TESOURO DIRETO

Nunca gaste seu dinheiro antes de recebê-lo.

Thomas Jefferson

Tesouro Direto (TD) é uma modalidade de investimento dentre as mais fáceis, sobretudo porque é preciso de pouco dinheiro para investir nela.

É um programa do Tesouro Nacional que existe desde 2002, e, com valores a partir de 30 reais, você já começa a investir em algumas das submodalidades dentro do Tesouro Direto, que é classificado em ***Renda Fixa.***

Veja os tipos de Tesouro Direto:

- SELIC
- Prefixados
- Prefixados com juros semestrais
- Pós-fixados
- IPCA+
- IPCA+ juros semestrais

Dentre as opções de Renda Fixa, o Tesouro Direto é a que tem menor risco. A maior parte das rendas fixas tem baixo risco, exceto debêntures, mas o Tesouro Direto oferece o máximo de segurança que você pode ter em termos de investimentos. Por quê? Simplesmente porque é garantido pelo Tesouro Nacional, detentor de grande credibilidade, em virtude de leis e normas criadas para dar essa segurança para você como investidor e para democratizar e ampliar à população a possibilidade de ter algum rendimento muito superior à poupança. Então, é uma excelente opção com menor risco possível.

Ele se subdivide em prefixado e pós-fixado. Os prefixados são aqueles em que você, no momento da compra, já sabe quanto vai ganhar. Você pode optar por, a cada seis meses, receber os juros ou recebê-los só ao final do investimento, ou seja, prefixado com juros semestrais e prefixado puro.

O Tesouro Direto já vem com uma data de vencimento. Então, se você comprou hoje o Tesouro Direto 2045, amanhã comprar 2045 de novo e, no mês seguinte comprar o 2045 novamente, essas três compras farão parte de um único papel cuja retirada será na data de vencimento acordada, diferente, por exemplo, do CDB, que, a cada vez que compra, você faz uma negociação com o banco. No Tesouro Direto não: você já compra com uma data de vencimento preestabelecida.

O tipo pós-fixado tem basicamente duas variações e é atrelado a algum índice da economia: à taxa SELIC, que é a taxa básica da economia, definida pelo COPOM a cada 45 dias, fazendo com que você ganhe baseado na SELIC dos últimos 12 meses; ou à taxa IPCA, que é o índice de inflação dos últimos 12 meses. Então, se você contrata um Tesouro Direto pós-fixado baseado no IPCA, ganhará a inflação mais alguns juros; se contrata um Tesouro Direto pós-fixado baseado em SELIC, ganhará os juros SELIC dos últimos 12 meses, ou você pode optar pelo pós-fixado e ir recebendo os juros IPCA+ a cada 6 meses, que são os juros da inflação mais juros adicionais.

Vamos falar sobre cada um dos tipos do Tesouro Direto, mas antes, veja a evolução da quantidade de pessoas cadastradas para investir no Tesouro Direto.

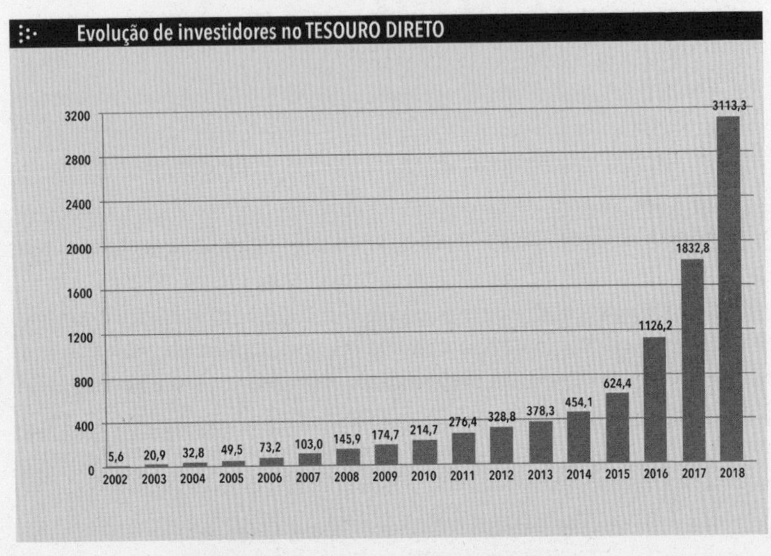

Figura 20: Evolução no número de pessoas cadastradas para investir no Tesouro Direto

Começou em 2002 e vem aumentando, aumentando, aumentando.... Já passamos de 1 milhão de pessoas cadastradas para investir no Tesouro Direto. Você está de fora? Se está, vamos entrar, pois é uma excelente opção de investimento.

Para investir, você abrirá uma conta em uma corretora, que apresentará a você o Tesouro Direto. Você pode comprá-lo direto pela corretora ou pode comprar pelo site do Tesouro Direto, onde também pode ser encontrado o passo a passo. Escolha qual tipo de Tesouro Direto quer comprar e coloque o seu agente de custódia, que é a sua corretora.

Se já está cadastrado em alguma corretora, ela vai aparecer na lista de opções de locais para onde irá o seu investimento. O oferecimento de taxa zero pela corretora proporciona a melhor forma para investir aqui no Tesouro Direto. Algumas corretoras cobram algum recurso para guardar seu dinheiro, portanto é importante consultar essa informação antes de investir.

TESOURO SELIC

Primeiro tipo de Tesouro Direto: Tesouro Selic, que é aquele Tesouro Direto a partir do qual você receberá os juros da taxa básica da economia, que é a taxa Selic.

É indicado para quem quer investir em curto prazo, porque, se você for investir por um longo prazo, provavelmente os outros tipos de investimento vão render muito mais. Contudo, se for investir por um curto prazo, certamente ele lhe dará mais ganhos do que a poupança. Então, opte por Tesouro Selic se você tem perspectiva de um ou dois anos para o investimento.

O Tesouro Selic pode ser também uma boa opção em que colocar seu recurso na hora em que você está formando o seu patrimônio de segurança ou seu patrimônio de oportunidade, pois tem alta liquidez. O Tesouro Direto pode ser retirado para a sua conta do seu banco a qualquer momento em que você queira.

A perspectiva de ganho é relacionada ao indexador Selic, cujo valor você pode consultar facilmente. Nos últimos anos esse valor tem variado: quanto mais segura é a economia, menor é a taxa de juros, pois quando esta é reduzida, as pessoas ficam com mais oferta de crédito e compram mais. Quando a economia está ruim, a taxa de juros fica muito alta, porque a inadimplência aumenta também.

Veja um histórico da Selic entre os anos de 2006 e 2007 para se ter uma ideia:

TAXA SELIC HOJE (%)														
Mês/Ano	2006	2007	2008	2009	2010	2011	2012	2013	2014	2015	2016	2017	2018	2019
Janeiro	1,43	1,08	0,93	1,05	0,66	0,86	0,89	0,60	0,85	0,94	1,06	1,09	0,58	0,54
Fevereiro	1,15	0,87	0,80	0,86	0,59	0,84	0,75	0,49	0,79	0,82	1,00	0,87	0,47	0,49
Março	1,42	1,05	0,84	0,97	0,76	0,92	0,82	0,55	0,77	1,04	1,16	1,05	0,53	0,47
Abril	1,08	0,94	0,90	0,84	0,67	0,84	0,71	0,61	0,82	0,95	1,06	0,79	0,52	0,52
Maio	1,28	1,03	0,88	0,77	0,75	0,99	0,74	0,60	0,87	0,99	1,11	0,93	0,52	0,54
Junho	1,18	0,91	0,96	0,76	0,79	0,96	0,64	0,61	0,82	1,07	1,16	0,81	0,52	0,47
Julho	1,17	0,97	1,07	0,79	0,86	0,97	0,68	0,72	0,95	1,18	1,11	0,80	0,54	0,57
Agosto	1,26	0,99	1,02	0,69	0,89	1,07	0,69	0,71	0,87	1,11	1,22	0,80	0,57	0,50
Setembro	1,06	0,80	1,10	0,69	0,85	0,94	0,54	0,71	0,91	1,11	1,11	0,64	0,47	0,46
Outubro	1,09	0,93	1,18	0,69	0,81	0,88	0,61	0,81	0,95	1,11	1,05	0,64	0,54	0,48
Novembro	1,02	0,84	1,02	0,66	0,81	0,86	0,55	0,72	0,84	1,06	1,04	0,57	0,49	0,38
Dezembro	0,99	0,84	1,12	0,73	0,93	0,91	0,55	0,79	0,96	1,16	1,12	0,54	0,49	0,37

Figura 21: Histórico da SELIC por mês

A cada mês, define-se o valor da Selic, e a soma dos valores de todos os meses fica sendo, portanto, a Selic do ano. Então, você pode ver, na tabela, que os parâmetros são bem variáveis, e a economia tem certa flutuação.

#Case1: O gráfico mostra a evolução da Selic nos últimos anos.

Figura 22: Evolução da SELIC

Nós tivemos, em 29/07/2015, a taxa Selic de 14,25%, o que quer dizer que quem investiu no referido momento, ganhava 14,25% de juros ao ano. Isso são juros muito altos! A economia estava ruim, mas foram melhorando os parâmetros econômicos, e então foi passando para 13% em janeiro de 2017, e reduzindo gradativamente até chegar até 4,25% em fevereiro de 2020, ou seja, nesta data, quem investiu na taxa Selic teve renda de 4,25%. Faça uma busca na internet e encontre qual a SELIC de hoje.

#Case2: Veja a comparação de uma média histórica de quanto rendeu um Tesouro Direto investido com parâmetros da SELIC em relação à poupança.

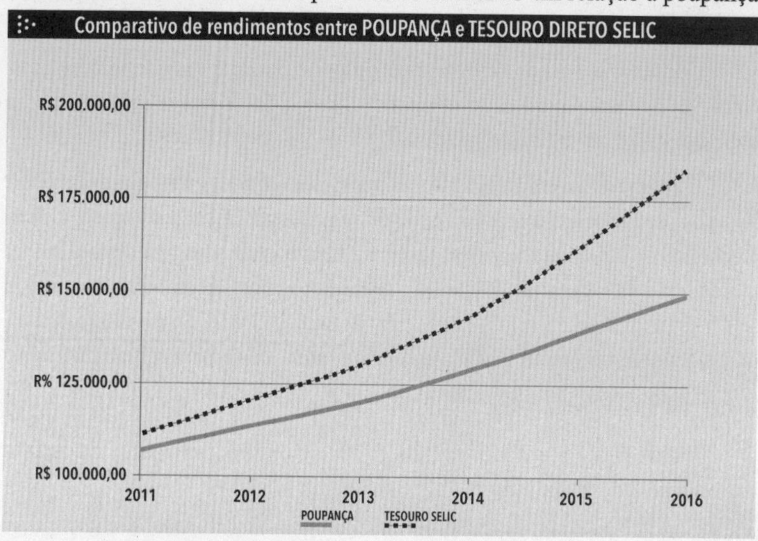

Figura 23: Comparativo de rendimentos entre a Poupança e o Tesouro Direto SELIC

Historicamente, de 2011 a 2016, temos, em preto, o Tesouro Direto Selic e, em cinza, a poupança. Perceba que quem investiu pouco mais de R$100.000 na poupança, cinco anos depois tinha cerca de RS150.000, e quem investiu no Tesouro Selic tinha R$180.000 aproximadamente, o que representa uma boa diferença. No começo, a diferença é pequena, mas depois fica muito grande. Então, se você está formando o seu patrimônio de segurança ou se quer deixar um dinheiro guardado para render mais que a poupança, o Tesouro Selic é uma boa opção que, historicamente, mostra melhores resultados que a poupança.

Outro subtipo de Tesouro Direto é o prefixado. Vamos lá!

TESOURO DIRETO PREFIXADO

No Tesouro Direto prefixado você sabe exatamente quanto vai ganhar no momento em que está investindo. Se a inflação estiver muito alta e você contratar um prefixado, é possível que perca dinheiro. Por exemplo, se você contrata um prefixado de hoje a 10%, e a inflação sobe para 10%, no final do investimento, você não terá nenhum ganho real, porque perderá o poder de compra e vai ser basicamente o que vão lhe pagar de prefixado.

Contudo, o Tesouro Direto prefixado lhe permite um ganho bem definido. Se você acha que a economia vai ter uma inflação baixa e pega um bom prefixado, terá um bom ganho real.

Esse tipo de investimento não tem nenhum indexador e lhe paga exatamente os juros preestabelecidos. Você pode definir se quer, a cada seis meses, ficar recebendo os juros, ou receber só ao final. Algumas pessoas optam por receber a cada seis meses, porque deixam um grande montante de dinheiro lá e, a cada seis meses, utilizam os rendimentos para pagar seu GMM. Se for muito dinheiro, isso acaba suprindo o GMM; se não for muito, deixe para resgatar no final.

#Case3: Veja o histórico (2015-2017), em porcentagens, de quanto variou a taxa de prefixação.

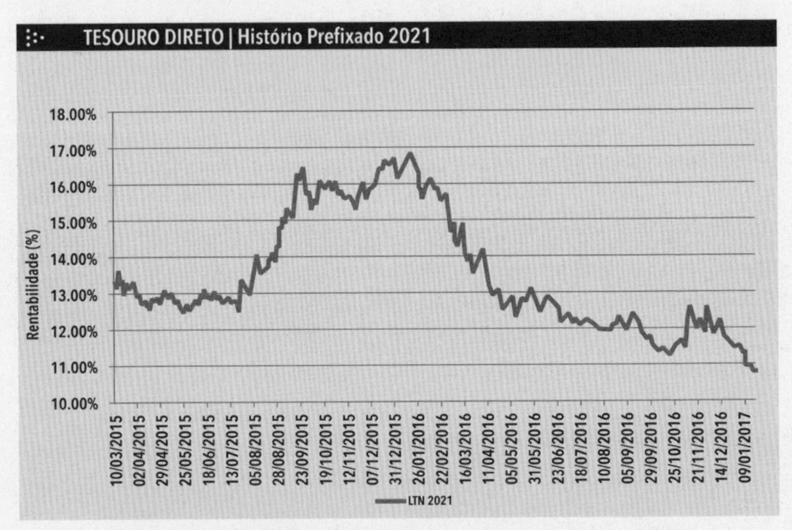

Figura 24: Rendimento do Tesouro Direto de 2015 a 2017

O gráfico começa em março de 2015. Na época, o Tesouro Direto prefixado pagava 13% ao ano. Quando a economia está muito ruim, a tendência é que ele pague mais, porque o governo vai precisar de dinheiro da população, então pagará juros maiores.

Por volta do fim de 2015, o valor estava maior que 16%. Quem comprou algum Tesouro Direto nesse momento, conseguiu receber juros de 16% ano. Então, o valor do prefixado será mantido desde a data da sua compra até que você retire o dinheiro na data de vencimento.

Quem comprou em 2015, com um prefixado de 16%, tem o seu capital praticamente duplicado a cada 4 anos. Isso é excelente! Quem investiu de 2015 a 2016, pegou taxas elevadíssimas. No mundo não existe algo parecido no que se refere a juros de Renda Fixa.

Quem investiu em Tesouro Direto em janeiro de 2017 obteve juros de 6 a 7%, menos da metade do período citado anteriormente.

Portanto, se a economia estiver mais abalada, os juros recebidos serão altos, e quem é rico ficará mais rico ainda. Por outro lado, quem estiver precisando de dinheiro, pagará juros mais elevados.

De forma simples, esse é o Tesouro Direto prefixado. No dia em que você contratar, já saberá exatamente quanto vai ganhar. Verifique quanto é o prefixado e, a depender de como está a economia e de quando é a data de vencimento do título, você pode optar por comprar ou não.

Agora falaremos sobre IPCA+, outra modalidade de Tesouro Direto.

IPCA+

No Tesouro Direto IPCA+, você vai ganhar a inflação e os juros adicionais. Esse é um bom tipo de Tesouro Direto para investimento de longo prazo, porque ele protege o seu dinheiro contra a inflação.

Se você não sabe analisar muito bem quanto está a inflação ou não quer arriscar a possibilidade de ela elevar ou reduzir, compre um Tesouro IPCA+! Por quê? Porque você vai saber exatamente quanto ganha em termos reais. Ele vai pagar para você a inflação do período, não importando se é 5%, 3% ou 10%, e ainda vai lhe dar juros adicionais.

#Case4: Isso é importante. Olhe só como o IPCA+ se comportou entre 2005 e 2016:

Figura 25: Comportamento do pagamento de juros pelo Tesouro Direto IPCA+

O Tesouro Direto IPCA+ paga porcentagens diferentes, a depender de quando você compra. Quem comprou em 2005, recebeu IPCA+ mais 9%. Então o investidor vai ganhando a inflação e mais 9%. É o ganho real. É o aumento do poder de compra. Quem pegou em 2012, por sua vez, contratou a menos de 4%. Esses valores vão variando com o tempo. Sua rentabilidade vai depender de quanto está hoje.

#Case5: A seguir, veja algumas opções disponíveis em uma data hipotética no passado de 17 de fevereiro de 2020:

	Tipo	Vence em	Rentabilidade	Investimento mínimo
Tesouro PREFIXADO 2026	IPCA	15/08/2026	IPCA + 2.47%	R$ 56,40
Tesouro IPCA+ 2035	IPCA	15/05/2035	IPCA + 3.18%	R$ 41,06
Tesouro IPCA+ 2045	IPCA	15/05/2045	IPCA + 3.18%	R$ 30,05
Tesouro IPCA+ com Juros Semestrais 2030	IPCA	15/08/2030	IPCA + 2.77%	R$ 42,54
Tesouro IPCA+ com Juros Semestrais 2040	IPCA	15/08/2040	IPCA + 3.23%	R$ 46,47
Tesouro IPCA+ com Juros Semestrais 2055	IPCA	15/05/2055	IPCA + 3.32%	R$ 51,60
Tesouro Prefixado 2023	Prefixado	01/01/2023	5.24% a.a.	R$ 34,56
Tesouro Prefixado 2026	Prefixado	01/01/2026	6.14% a.a.	R$ 35,26
Tesouro Prefixado com Juros Semestrais 2031	Prefixado	01/01/2031	6.51% a.a.	R$ 38,24
Tesouro Selic 2025	SELIC	01/03/2025	SELIC + 0.03%	R$ 105,19

Figura 26: Ofertas para o Tesouro Direto em fevereiro de 2020.

Veja a primeira opção: Tesouro Direto IPCA+ 2026. A data de vencimento é 15/08/2026. A leitura é simples: Tesouro Direto IPCA+ 2026 significa que lhe serão pagos inflação mais os juros, e você vai ter a rentabilidade aplicada até a data do vencimento indicada. Se você levar até o final, receberá 3,18% mais a inflação. Se quiser resgatar antes, poderá fazê-lo.

PRÁTICA!

Para comprar, estabeleça quantos reais você quer desse tipo de tesouro: R$1.000, R$500, R$30.... Clique então no item valor. Se quiser outros tipos de tesouro, eles serão somados. Por fim, clique em comprar. É preciso que você tenha saldo em sua corretora, para, por fim, efetuar a compra.

Nessa figura, visualize também Tesouro Direto IPCA+2035, ou seja, serão pagos a inflação e os juros de 3,18%, e você pode resgatar o recurso no referido ano com as taxas apresentada ou, antes disso, com outras taxas que dependerão do dia.

Outra opção é o IPCA+ com juros semestrais que lhe permite receber os juros em sua conta a cada 6 meses. Veja ainda o prefixado, na figura, que paga 6,14% ao ano e que finaliza em 2026.

Lembra um exemplo dado anteriormente que dizia que, em um dado momento, estavam pagando 16% de prefixado. No exemplo da atual ele paga 10%. Se a inflação, no período, for de 3%, então quer dizer que seu ganho real é de 7%: 10% do prefixado menos 3% da inflação, que é a redução do seu poder de compra.

IMPOSTOS

Só para resgatar algumas informações importantes: quanto você paga de imposto por investir no Tesouro Direto?

Sim, é necessário pagar imposto, mas ele incide sobre os rendimentos. Se você investe R$10.000, e no final retirar R$12.000, terá ganhado R$2.000, sobre os quais incidirá o imposto, por isso o nome imposto sobre rendimentos.

Se optar por retirar o Tesouro Direto antes da data de vencimento, os percentuais se modificam de acordo com os dias desde quando comprou os papéis, até 180 dias; 181 a 360 dias; 361 a 720 dias; acima de 720 dias.

Por exemplo: Se o seu dinheiro ficou investido por 180 dias ou menos, você pagará 22,5% do valor que obteve de lucro, ou seja, os R$2.000 do exemplo anterior. Existem outros parâmetros de alíquota, e, se o seu investimento no Tesouro Direto passou de 720 dias, você só vai pagar 15%.

Entendeu por que motivo é tão importante deixar o seu dinheiro até o final do investimento? Para que você não pague muito imposto. Contudo, se o seu investimento é para a Selic, mesmo você tirando o recurso com menos de 180 dias, o rendimento sempre será, historicamente falando, maior que o oferecido pela poupança. Então entenda essa lógica: quanto mais tempo o dinheiro fica, menos imposto você paga sobre os lucros que você vai ter.

Agora, veja essas taxas:

- Pagamento de taxa anual: janeiro e julho
- Resgate todos os dias.

Esses itens são importantes, pois, na sua corretora deve haver dinheiro para pagar essas taxas cobradas a todos os investidores do Tesouro Direto pela B3 (Brasil, Bolsa, Balcão, a bolsa de valores oficial do Brasil). A taxa anual acontece em janeiro e julho e custa muito pouco para que você possa investir no Tesouro Direto.

Caso não queira esperar a data de vencimento, poderá resgatar o recurso quando quiser, o que representa, portanto, alta liquidez. Se esperar até o vencimento, em 2024, como no case apresentado, seu recurso cai diretamente na sua conta da corretora, e, caso você queira usar o dinheiro, basta sacar para sua conta do banco. Simples assim!

PRÁTICA!

APP TESOURO DIRETO OFICIAL

O Tesouro Direto disponibiliza um aplicativo para quem investe ou quer aplicar em títulos públicos. O app permite realizar todas as transações disponíveis no site do Tesouro, como compra, resgates, agendamentos e consultas, bem como comparar títulos com outras aplicações do mercado.

Você pode baixar para iOS e baixar para Android[17].

Veja a descrição oficial:

"O aplicativo oficial do Tesouro Direto reúne tudo o que você precisa para realizar as principais transações com títulos públicos onde e como você quiser".

Agora você pode acompanhar seus investimentos em títulos públicos de forma rápida e prática. Confira as principais funcionalidades do aplicativo:

- Investir: para investir consulte as taxas de rendimento dos títulos e adicione-os ao carrinho de investimento. Você pode investir hoje ou realizar agendamentos, programando melhor sua vida financeira.

- Resgatar: consulte todas as rentabilidades dos títulos para resgate e veja o valor dos seus títulos para realizar resgates de uma maneira prática e fácil. Também é possível realizar agendamento, mais uma comodidade para você.

- Simulador: descubra o título mais indicado aos seus objetivos financeiros e compare a rentabilidade dos títulos com as principais alternativas de Renda Fixa do mercado. Além disso, você já pode investir no título da simulação direto pelo aplicativo.

---

17 https://itunes.apple.com/br/app/tesouro-direto/id1331929575?mt=8
https://play.google.com/store/apps/details?id=br.gov.fazenda.tesouro.td&hl=pt_BR

iOS

Android

- Meu Tesouro e Extrato: consulte sua posição de títulos no menu Meu Tesouro e veja informações detalhadas dos seus títulos públicos. O extrato é completo e contém a sua posição atual, informações de custos e de rentabilidade. No extrato também é possível ver gráficos com a evolução da rentabilidade ao longo do tempo.

- Meus Sonhos: e se você pudesse alocar os seus títulos em sonhos? Com essa nova ferramenta você cadastra sonhos e acompanha como os seus títulos estão lhe ajudando a chegar na sua meta financeira.

- Consultas: busque suas informações de investimentos, resgates e reinvestimentos realizados ou mesmo dos seus agendamentos.

- Dados Cadastrais: aqui você consulta seus dados do programa e também pode realizar alterações de senha.

- Touch ID: agora você também pode acessar sua conta com a impressão digital. É mais conveniência e segurança.

- E mais: se você precisar de alguma ajuda no aplicativo ainda disponibilizamos o Fale Conosco.

Tesouro Direto, em qualquer lugar e a todo momento com você!

Muito simples, mas para finalizar vamos aprender a alinhar seu perfil ao tipo de investimento que melhor se harmonize com você e também saber como abrir uma conta numa corretora de investimentos.

PARTE V

HÁ UM INVESTIDOR EM POTENCIAL EM CADA MÉDICO: CURADORIA E PRÁTICAS

O MÉDICO QUE HÁ EM MIM
LIÇÃO V: O PENSAMENTO FINANCEIRO

Nada é permanente, exceto a mudança.

Heráclito

Chegamos ao final de uma jornada de aprendizados.

Independente do estágio em que você se encontra; estudante ou médico... desejo que o conteúdo abordado sobre Inteligência Financeira seja bem aproveitado por você.

Você chegou até aqui, por isso não desista!

Esta última lição está repleta de aprendizados para sua vida. Por isso, se aproprie desse tempo dedicado somente para VOCÊ, e que pode mudar a forma como você faz suas escolhas, desde que você ponha em prática.

O conteúdo em forma de "lições", que iniciam cada parte do livro, foi uma maneira agradável que encontrei para chamar sua atenção durante este primeiro momento. Uma conversa franca e amigável para que você não fique apreensivo sobre detalhes técnicos de como investir; isto é o mais fácil, acredite. Nós vamos chegar lá! O processo de reflexão crítica é importante e respalda ações precisas. Controlar a ansiedade é uma regra básica para nosso tema.

Flashback:

Na Lição I discorri sobre o "Erro de médico recém-formado", quando, ao comprar um carro de alto preço e aceitar pagar juros elevados ao banco, comprometi quase um ano de trabalho em prol do pagamento de dívidas;

Na Lição II abordei sobre a Corrida dos Ratos ou Ciclo Autodestrutivo na medicina, um ciclo extenuante em que alguns colegas estão e que eu estive por um tempo. Julgo que este conceito é um dos mais importantes para a geração de insights sobre sua vida;

Na lição III, você aprendeu sobre as 7 abordagens de Baltes para o desenvolvimento humano e as 6 etapas para a conquista da independência financeira;

Na lição IV refleti sobre a motivação para estudar sobre investimentos, através da história da águia que empurra sua cria para que ela comece a voar e saia da inércia.

Quando comecei a estudar sobre inteligência financeira, foi como se eu colocasse óculos com visão especial que me proporcionou uma espécie de superpoder. Passei a enxergar o que antes eu não via.

Antes eu não conseguia perceber que meus recursos financeiros estavam indo pelo ralo. Os motivos incluíam as más escolhas de bens de consumo, financiamento de veículo com alta taxa de juros e acredite... até comprei alguns (vários) títulos de capitalização pensando que eu estava fazendo um bom investimento. Quanta inocência ou melhor... falta de educação financeira!

Um maior poder de compra pode nos dar uma sensação de que estamos no patamar de pessoa bem-sucedida. Só que algo precisa ser falado sobre isso: qual a noção de pessoa bem-sucedida para você?

Aquela que tem muitos bens como carro, casa própria, ou mesmo aquela pessoa que tem um smartphone de última geração e que veste uma roupa de alto preço?

De jeito nenhum! Se você ainda pensa assim, você está totalmente fora do jogo. Vamos analisar com calma.

Pense em duas pessoas, Rafael e Paulo. Ambos têm carro do ano, roupas caras e smartphones de última geração.

#O CASO RAFAEL

Rafael fez algumas aquisições ao longo dos últimos 6 meses. O carro é fruto de uma negociação com a concessionária de veículos que recebeu seu carro anterior por 30 mil reais, e como o novo carro que ele buscava comprar custava 70 mil, Rafael financiou 40 mil para pagar em 60 meses. A taxa negociada de juros foi de 1,9% ao mês. As roupas e o smartphone estão parcelados em 10 vezes no cartão de créditos classe Premium que recebeu em virtude de um alegado "bom relacionamento com o banco".

#O CASO PAULO

Paulo, que também possui os mesmos bens, comprou o veículo à vista há um mês. Deu o seu carro anterior que valia 30 mil e pagou mais 30 mil à vista, pois conseguiu ótima negociação com o vendedor. Em virtude de ter dinheiro disponível para pagar à vista, obteve ótimas condições com um desconto considerável. As roupas de boa qualidade, as comprou no mês de fevereiro, quando as lojas costumam dar bons descontos. Ele aproveitou para renovar seu guarda-roupas. Paulo já faz isso há um tempo, depois que percebeu que os preços são mais elevados em dezembro, por conta do Natal. Em janeiro consegue em geral economizar 30%. Ahh... quanto ao smartphone, comprou na última blackfriday. Ele já estava acompanhando o preço do modelo por um site que envia notificações por e-mail quando o preço do produto que você quer fica abaixo do usual. Ele já estava juntando um dinheiro para comprar à vista e quem sabe, conseguir um desconto; foi o que aconteceu. Na sexta-feira a loja de referência deu 7% de desconto na versão mais atual e para quem pagasse à vista, concedeu 12% de desconto. Paulo estava preparado financeiramente, com isso pegou o aparelho que queria na melhor opção possível. E ainda mais! Paulo utilizou o cartão de créditos para pagar em 1 parcela, a loja considerava esta via de pagamento como à vista e com isso ele garantiu também retorno de 2% do valor, que gastou em forma de milhas para utilizar em produtos ou passagens aéreas.

Perceba que tanto Rafael quanto Paulo têm os mesmos bens de consumo. O que eles têm de diferente?

Rafael reduziu seu patrimônio, enquanto Paulo manteve o consumo dentro de um planejamento até conseguir melhores condições para as aquisições.

Enquanto Rafael reduziu sua riqueza em detrimento ao pagamento de juros e da impossibilidade de negociar melhores condições, Paulo não levará nenhuma dívida para o próximo mês, o que permitirá novos planejamentos com seus próximos salários, inclusive, manterá os investimentos em Renda Fixa que aprendeu ao ler este livro!

Infelizmente a história de Rafael, o descontrolado, é similar a de alguns que estão lendo estas linhas.

Pessoas hiperresponsivas ao apelo publicitário para vendas e sem planejamento algum para inserir seu consumo dentro de um cenário que otimize seus recursos.

Para se ter a independência financeira é necessário começar hoje. Fazer com que o dinheiro faça mais dinheiro de uma maneira honesta, íntegra e socialmente aceitável. Você conseguirá isto através de escolhas inteligentes de investimentos. Hoje há várias opções disponíveis para qualquer um.

Como diz uma citação popular, de autoria desconhecida: "Riqueza não é sobre quanto você ganha, mas sobre o quanto você consegue economizar".

Existe uma regra que explica O Pensamento Financeiro que foi apresentado até aqui e que é composta por três vetores.

Este conceito é citado pelo autor Pedro Queiroga Carrilho em seu livro *O seu primeiro milhão - como fazer o dinheiro crescer*.

O LEITOR QUE HÁ EM MIM

O livro *O seu primeiro milhão - como fazer o dinheiro crescer* do autor Pedro Queiroga Carrilho ensina como controlar as finanças de maneira inteligente. O autor enfatiza e explica que mais importante que ganhar dinheiro, é aprender a economizar e investir. Eu recomendo a leitura.

O livro citado estabelece a necessidade de cada pessoa conhecer estes três pilares:

1. Inteligência financeira;

2. Integridade financeira e;

3. Independência financeira.

Inteligência: o nosso poder crítico de decisão de consumo diário é proporcionalmente maior quanto menor for o vínculo emocional com as nossas intenções de compras. O aumento do poder crítico é alcançado com estudo. O método de tentar e errar até que pode dar certo com você, mas ampliar sua capacidade de investimentos e otimização de consumo apenas através da tentativa e erro pode arruinar suas finanças;

Integridade: este vetor diz respeito à plena consciência na identificação do que é necessário, do que é supérfluo e do que é excesso em nossas vidas. Para contemplar este vetor, você não pode colocar o dinheiro em um patamar superior ao que ele merece, ou para ficar mais claro, o dinheiro não pode ocupar uma importância maior do que o seu propósito de vida e seus valores;

Independência: algumas pessoas não acreditam neste vetor, ou acreditam que ele só será alcançado depois de muitos anos com a carteira de trabalho assinada, assim receberá o que é ofertado pelo INSS. Quem pensa deste modo, já deu o primeiro passo para não conquistar a independência financeira em uma idade com ótima vitalidade. A independência financeira é alcançada quando a renda passiva oriunda dos seus investimentos é suficiente para pagar seus gastos mensais. Para alcançá-la, além do entendimento dos vetores anteriores, você precisa ter estratégia, você precisa andar na pista de alta velocidade.

Portanto, você deve comemorar, pois na última parte deste livro, sua autonomia intelectual rumo à sua independência financeira está em processo ativo. Mantenha-se firme e vamos juntos finalizar esta leitura.

19
COMO ABRIR CONTA NA CORRETORA

Preço é o que você paga. Valor é o que você ganha.

Warren Buffett

Para abrir uma conta em uma corretora é muito fácil. Não é necessário que você pague uma mensalidade, nem taxa de administração que você normalmente paga ao banco. Portanto, se quiser ter conta em uma, duas, três corretoras ou quantas desejar, você pode fazer isso de forma bem tranquila.

Lembre-se sempre de observar com muita atenção as taxas de administração que os bancos/corretoras cobram. Em muitas aplicações cobram 2% a 2,5% a.a.

Além de cobranças abusivas de taxas de administração, muitos fundos de investimentos cobram Taxa de Performance (20% do que eu conseguir sobre o CDI, por exemplo). Sempre observe o tempo de resgate. Em quanto tempo o dinheiro estará em conta depois de resgatar a aplicação.

Eu recomendo que você tenha conta em duas corretoras; talvez, em um dado momento, quem sabe três corretoras.

Por que isso pode ser feito?

Quando você for começar a investir uma grande quantidade de recursos, talvez uma corretora lhe apresente alguns investimentos, e outra corretora lhe apresente outros investimentos melhores que a primeira não tinha. Uma questão de aumentar as possibilidades e oportunidades. Quando for investir, entre em mais de uma corretora, verifique quais as melhores opções e efetue a compra.

Os bancos de investimentos ou corretoras são praticamente lojas de investimentos. Assim como você entra no site para comprar sapatos ou camisas, você entra no site de uma corretora para comprar fábricas de dinheiro, que são os investimentos. Por isso, em uma corretora há alguns tipos de investimentos, em outra, outros tipos, e se você quiser ter duas ou três, já é o suficiente para que você faça boas escolhas.

Outro ponto importante para ter conta em duas ou três corretoras são as taxas de administração. Quando você for comprar um Tesouro Direto, se você comprar em uma corretora que tem taxa zero para administração do Tesouro Direto, é muito melhor que comprar numa corretora que cobra 1% de taxa ao ano, ao mês, ou seja como for.

Busque sempre uma corretora que tenha a taxa menor possível e a melhor prestação de serviço que se revela pela qualidade da plataforma on-line e pelo suporte prestado. Isso vai lhe ajudar a ter melhores rendimentos. Qualquer 0,5% ou 0,4% representa um grande montante ao final de muito tempo de investimento.

Faça boas escolhas e abra sua conta de forma muito simples. Entre no site da corretora, siga o passo a passo, clique nos botões e envie os seus documentos como comprovantes de endereço e pessoais, como RG e CPF.

O cadastro feito on-line é rápido. Busque no site da B3 a lista de corretoras certificadas.

PRÁTICA!

Abrindo a sua conta:

1. Entre no site da corretora da sua escolha, clique "Abra sua conta" e preencha as informações solicitadas;
2. Certifique-se ao colocar nome completo e seu melhor e-mail, para que a corretora estabeleça uma comunicação ágil com você;
3. Você receberá um e-mail com seu login, que é a sua conta na corretora;
4. Insira as demais informações pessoais e envie seus documentos;
5. Aguarde a aprovação para a conta ser ativada;

Documentos que podem ser solicitados:

- Documento de identificação: CNH ou RG dentro da validade e com expedição máxima de 10 anos.
- Comprovante de residência: pode ser conta de Luz, Água, Gás, Telefone (fixo ou móvel) /Internet/TV a cabo, fatura de cartão de

crédito, extrato bancário (exceto de FGTS) ou Contrato de Locação registrado em cartório juntamente com um comprovante de endereço em nome do locador, com data de emissão máxima de 6 meses.

A análise leva até dois dias úteis, mas em alguns casos é aprovada imediatamente. Com a aprovação da conta, você receberá um e-mail com sua assinatura eletrônica. Guarde-a! Ela é necessária para a efetivação das suas operações no site da corretora.

20

PERFIL DO INVESTIDOR

O pensamento estratégico raramente ocorre de forma espontânea.

Michael Porter

Onde você deve alocar os seus recursos? Essa é uma pergunta frequente. Isso você vai conseguir identificar com mais propriedade quando entender o seu perfil de investidor ou investidora.

Por exemplo, você aprendeu o passo a passo para fazer investimentos em Renda Fixa, que é um dos principais alvos que você, como investidor conservador, vai ter. O "agressivo", que é o outro extremo ou a última etapa, vai direcionar menos recursos para a Renda Fixa.

Vamos conhecer cada um dos tipos.

Você fará um teste em sua corretora e, se chegar à conclusão que é **conservador** ou conservadora, 85% dos seus investimentos estarão direcionados à Renda Fixa. Esta proporciona maior segurança, embora ofereça rentabilidade menor, mas, em longo prazo trará bons resultados. Essa segurança é o que identifica o conservador. Os outros 15% vão para a Renda Variável, que pode ser investimento em moedas estrangeiras, como o dólar, ou fundos de investimento imobiliário, ações... Isso tudo é Renda Variável.

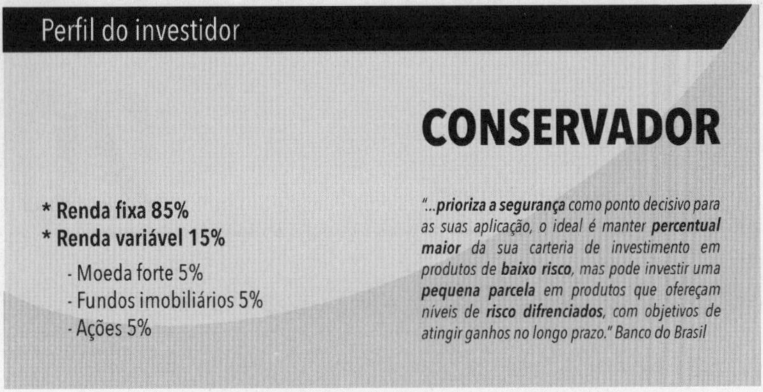

Perfil do investidor

CONSERVADOR

*** Renda fixa 85%**
*** Renda variável 15%**

- Moeda forte 5%
- Fundos imobiliários 5%
- Ações 5%

*"...**prioriza a segurança** como ponto decisivo para as suas aplicação, o ideal é manter **percentual maior** da sua carteria de investimento em produtos de **baixo risco**, mas pode investir uma **pequena parcela** em produtos que ofereçam níveis de **risco difrenciados**, com objetivos de atingir ganhos no longo prazo." Banco do Brasil*

Figura 27: Perfil do investidor conservador[18]

Se você tem um perfil **moderado**, a porcentagem que será direcionada para a Renda Variável vai aumentando: serão 70% na Renda Fixa, e 30% na Renda Variável. Aqui você já abre mão um pouco da segurança da Renda Fixa, mas visa a uma melhor rentabilidade da Renda Variável. Para que faça boas escolhas na Renda Variável, é preciso estudar mais sobre esse tipo de investimento.

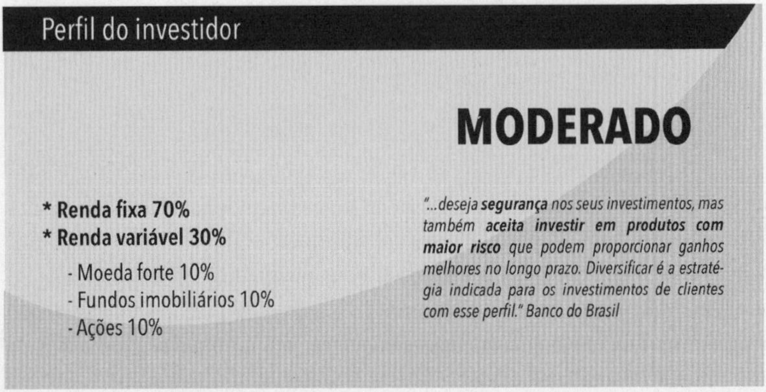

Perfil do investidor

MODERADO

*** Renda fixa 70%**
*** Renda variável 30%**

- Moeda forte 10%
- Fundos imobiliários 10%
- Ações 10%

*"...deseja **segurança** nos seus investimentos, mas também **aceita investir em produtos com maior risco** que podem proporcionar ganhos melhores no longo prazo. Diversificar é a estratégia indicada para os investimentos de clientes com esse perfil." Banco do Brasil*

Figura 28: Perfil do investidor moderado[19]

O próximo passo no perfil de investidores é o **arrojado**. Normalmente, é o investidor com maior nível de conhecimento ou com maior possibilidade de ter assessores de finanças para investir melhor. Ele terá 40% de seus recursos

18 Fonte: Site do Banco do Brasil

19 Fonte: Site do Banco do Brasil

direcionados à Renda Variável e 60% à Renda Fixa. Esse é um investidor com maior avidez por grandes rendimentos, mesmo que 40% dos seus recursos estejam num tipo de investimento com maior chance de ser, em parte, perdido, pois são os que oferecem menos segurança.

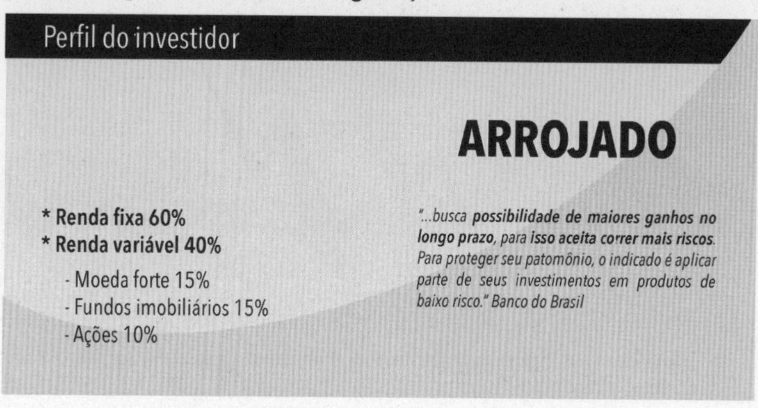

Figura 29: Perfil do investidor conservador[20]

O **agressivo** é aquele que direciona 55% dos seus recursos de investimentos à Renda Fixa e 45% à Renda Variável, investindo em dólar, fundo imobiliário, ações.

Sobre as ações, você já sabe que elas podem aumentar e reduzir seu valor num mesmo dia. É preciso mais conhecimento para investir nelas.

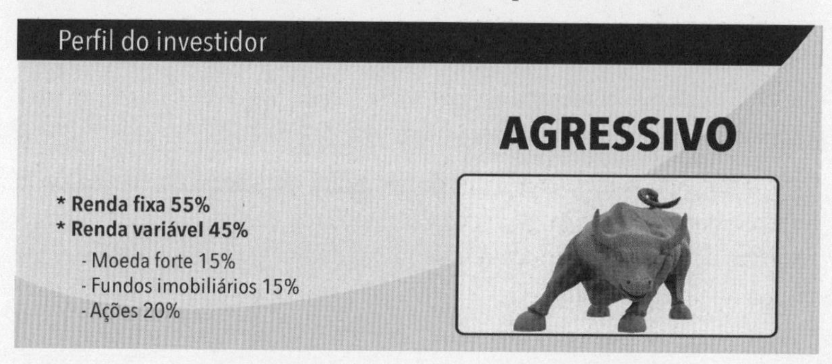

Figura 30: Perfil do investidor agressivo[21]

---

20 Fonte: Site do Banco do Brasil

21 Fonte: Site do Banco do Brasil

A figura que representa um bom investidor em Renda Variável é o touro. Não sei se você sabe, mas uma curiosidade é que existe um bullying entre os investidores, em que uns chamam os outros de touros ou ursos. Você sabe como o touro ataca?

Ele coloca os chifres para baixo e joga a vítima para cima. Então, o touro ataca de baixo para cima. Isso representa, nas ações, uma pessoa que compra as ações quando o mercado está em baixa, por exemplo, uma ação a R$10, e termina o ataque em cima, quando a ação está custando R$20: ele compra na baixa e vende na alta, obtendo lucros, como o touro, de baixo para cima.

O urso, por sua vez, ataca de cima para baixo. Isso representa aquela pessoa que vê no jornal que as ações da empresa X estão boas para comprar, e então compra: todos compram, como numa boiada. A compra provavelmente foi feita na alta, pois, depois que passou no jornal, o melhor momento de compra já passou há tempos! Os "ursos" compram na alta, entram em desespero e vendem na baixa, ou seja, atacam de cima para baixo e acabam no prejuízo. Essa é uma curiosidade que trago para que você fique atento e procure ser um touro. Quando começar a estudar sobre Renda Variável, espero que você compre na baixa e venda na alta.

Finalizamos aqui sobre o tipo de investidor que você é, começando pelo conservador, e, à medida que você vai estudando e avançando, caso queira expor mais seu capital, poderá ir se tornando um investidor arrojado, até chegar ao nível de touro.

CONSIDERAÇÕES FINAIS

Que alegria encontrar você aqui, no final do livro! É ótimo saber que, a partir desse momento, você tem uma inteligência financeira mais robusta, tem ferramentas para fazer um bom planejamento, e sabe o passo a passo de como realizar investimentos em Renda Fixa nas principais opções do mercado.

Sua vida tende a ficar mais tranquila, mais planejada. É o que todos queremos. Agora, você sabe, de fato, o que fazer.

APLIQUE!

"Conhecimento não aplicado gera obesidade cerebral"

Flávio Augusto

Muito grato por você ter acompanhado o livro todo! E gratidão também por você permitir que o conteúdo aqui exposto, de alguma forma, tenha contribuído para a sua Inteligência e Independência Financeira, afinal seu dinheiro não merece estar toda hora na emergência.

Eu queria ter tido acesso a um conteúdo similar a esse no início da minha vida profissional. Como não encontrei, movido pela empatia, produzi um conteúdo especialmente direcionado a você: Médico.

Sei que, a partir dessas informações colocadas em prática, você terá uma maior probabilidade de melhorar sua qualidade de vida e, com isso, vai poder oferecer serviços médicos para nossa população com maior qualidade também, uma vez que o nível de estresse, ao menos no que tange às finanças, será reduzido, permitindo um atendimento mais humanizado e eficiente. Nossa sociedade agradece!

Podemos continuar nosso diálogo através dos diversos canais de comunicação que apresento a seguir.

A gente se encontra em outro livro, em cursos on-line ou, quem sabe, em um momento presencial!

Um forte abraço e verei você outro dia, mais feliz e independente financeiramente. Até a próxima!

REFERÊNCIAS BIBLIOGRÁFICAS

AMERICAN COLLEGE OF SPORTS MEDICINE. A quantidade e o tipo recomendados de exercícios para o desenvolvimento e a manutenção da aptidão cardiorrespiratória e muscular em adultos saudáveis. Rev Bras Med Esporte, Niterói, v. 4, n. 3, p. 96-106.

ANDRADE, Rita, Teoria do Capital Humano e a qualidade da educação nos estados brasileiros. Universidade Federal do Rio Grande do Sul, Porto Alegre, 2010. URL: https://lume.ufrgs.br/handle/10183/25425.

BERNS, Gregory S., David Laibson, and George Loewenstein. 2007. Intertemporal choice--toward an integrative framework. Trends in Cognitive Sciences 11(11): 482-488. URL: https://www.ncbi.nlm.nih.gov/pubmed/17980645.

BRASIL. Comissão de Valores Imobiliários. Instrução CVM nº 539, de 13 de novembro de 2013, com as alterações introduzidas pelas instruções CVM nº 554/14, 593/17 E 604/18.

BRASIL. Tesouro Nacional http://www.tesouro.fazenda.gov.br/tesouro-direto.

BROADWELL, Martin M. (20 fevereiro 1969). "Ensinar para aprender (XVI)". wordsfitlyspoken.org. The Guardian Evangelho. Retirado 11 de maio de 2018.

Calculadora do cidadão. Banco Central do Brasil. https://www3.bcb.gov.br/CALCIDADAO/publico/exibirFormCorrecaoValores.do?method=exibirFormCorrecaoValores&aba=1.

CARRILHO, Pedro Queiroga. O Seu Primeiro Milhão - Como Fazer o Seu Dinheiro Crescer. 1 ed. São Paulo: Planeta, 2012.

CERBASI, G. P. Investimentos inteligentes. São Paulo. Ed. Sextante, 2013.

CETIP - Central de Custódia e Liquidação Financeira de Títulos Privados.

CIRELLO, Anatole Jr. Você Vai Ficar Rico - Vamos Combinar o Prazo? Editora: Fundamentos Ano: 2017.

EXAME.com. Como fazer networking sem parecer interesseiro? https://youtu.be/thLKZEw0uU0

FITCH. https://www.fitchratings.com/site/brasil

FERREIRA, F. H. G. Os determinantes da desigualdade de renda no Brasil: luta de classes ou heterogeneidade educacional? In: HENRIQUES, R. (Org.). Desigualdade e pobreza no Brasil. Rio de Janeiro: Ipea, 2000.

GIANNETTI, Eduardo. O valor do amanhã: ensaio sobre a natureza dos juros. 1. ed. São Paulo: Companhia das Letras, 2005.

HALFELD, Mauro. Investimentos - Como Administrar Melhor Seu Dinheiro Ed. Fundamento. 2004.

Happiness and health: Well-being among the self-employed. The Journal of Socio--Economics, [S. l.], ano 2008, v. 37, 1 jan. 2008. 1, p. 213-236. DOI https://doi.org/10.1016/j.socec.2007.03.003. Disponível em: Happiness and health: Well-being among the self-employed. Acesso em: 1 nov. 2019

KATSURAYAMA, Marilise et al. Evaluating stress levels on physicians residents and non-residents from academic hospitals. Psicol. hosp. (São Paulo), São Paulo, v. 9, n. 1, p. 75-96, jan. 2011

KIYOSAKI, Robert T.; LECHTER, Sharon L. Pai rico, pai pobre: o que os ricos ensinam a seus filhos sobre dinheiro. Tradução de Maria José C. Monteiro. 60º ed.; RJ: Elsevier, 1998.

SILVESTRE, Marcos. Tesouro Direto: A Nova Poupança. Editora: Faro Ano: 2016

SILVESTRE, Marcos. Investimentos a prova de crise. Editora: Lua de papel. 2011.

PAPALIA, Diane E. Desenvolvimento humano [recurso eletrônico] / Diane E. Papalia, Ruth Duskin Feldman, com Gabriela Martorell; tradução: Carla Filomena Marques Pinto Vercesi... [et al.]; [revisão técnica: Maria Cecília de Vilhena Moraes Silva... et al.]. – 12. ed. – Dados eletrônicos. – Porto Alegre: AMGH, 2013.

Tesouro Direto. https://play.google.com/store/apps/details?id=br.gov.fazenda.tesouro.td&hl=pt_BR.

APRESENTAÇÃO DO AUTOR E SEUS CONTATOS

DANIEL CORIOLANO é médico com Residência em Medicina de Família pela Universidade Federal do Ceará (UFC), Mestrado em Saúde da Família pela Fundação Oswaldo Cruz (Fiocruz) e MBA em Gestão, Empreendedorismo e Marketing pela Pontifícia Universidade Católica do Rio Grande do Sul (PUC-RS).

Tem atuação no Mercado como Diretor de estratégia da Núcleo MD e da ViLavie Centro de Cuidado Humano, e no campo da Educação Médica, como Editor e conteudista do MedCast - O podcast da medicina brasileira, Mentor e ministrante de treinamentos presenciais e on-line, além da Docência e Supervisão em programas de pós-graduações para médicos.

ATIVIDADES:
Diretor de estratégia da Núcleo MD Educação e do Centro de Cuidado Humano ViLavie;
Editor do MedCast - O podcast da medicina brasileira;
Mentor e ministrante de treinamentos e palestras presenciais e on-line;

CURRÍCULO ACADÊMICO:
Graduado pela Faculdade de Medicina de Juazeiro do Norte
Residência em Medicina de Família pela Universidade Federal do Ceará
Mestrado em Saúde da Família pela FIOCRUZ
MBA em Gestão, Empreendedorismo e Marketing pela PUC-RS

Acompanhe nas redes sociais:
@danielcoriolano

Site oficial:
danielcoriolano.com

Blog Educação Médica:
educacaomedica.com.br

VERMELHO MARINHO